NON-STOP
Crônicas do cotidiano

Livros da autora publicados pela **L&PM** EDITORES

Cartas extraviadas e outros poemas (**L&PM** POCKET)
Coisas da vida (**L&PM** POCKET)
Doidas e santas
Felicidade crônica
Feliz por nada
A graça da coisa
Liberdade crônica
Meia-noite e um quarto
Montanha-russa (**L&PM** POCKET)
Noite em claro (**L&PM** POCKET)
Non-Stop (**L&PM** POCKET)
Paixão crônica
Poesia reunida (**L&PM** POCKET)
Topless (**L&PM** POCKET)
Trem-bala (**L&PM** POCKET)
Um lugar na janela – relatos de viagem

Martha Medeiros

NON-STOP
Crônicas do cotidiano

www.lpm.com.br
L&PM POCKET

Coleção **L&PM** POCKET, vol. 655

Este livro foi publicado em primeira edição pela L&PM Editores, em formato 14x21 cm, em novembro de 2001

7ª edição: Coleção **L&PM** POCKET em outubro de 2007
Esta reimpressão: abril de 2015

Capa: Marco Cena
Revisão: Renato Deitos e Jó Saldanha

ISBN 978-85-254-1711-4

M488n   Medeiros, Martha
          Non-stop / Martha Medeiros. – Porto Alegre: L&PM, 2015.
          256 p. ; 18 cm (Coleção L&PM POCKET)

          1. Ficção brasileira-Crônicas. I. Título. II. Série

                                       CDD 869.98
                                       CDU 869.0(81)-94

Catalogação elaborada por Izabel A. Merlo, CRB 10/329.

© Martha Medeiros, 2001

Todos os direitos desta edição reservados a L&PM Editores
Rua Comendador Coruja, 314, loja 9 – Floresta – 90220-180
Porto Alegre – RS – Brasil / Fone: 51.3225.5777 – Fax: 51.3221.5380

Pedidos & Depto. comercial: vendas@lpm.com.br
Fale conosco: info@lpm.com.br
www.lpm.com.br

Impresso no Brasil
Outono de 2015

Sumário

O ponto G / 9
Religião e infidelidade / 11
Democracia sexual / 13
Prometa não sofrer / 15
Madonna x Marília / 17
Pedaços de mulher / 19
Os novos / 21
Quanto vale um sim / 23
A mulher e a patroa / 25
A arte de viver / 27
Le champagne / 29
Na minha família ou na sua? / 31
O tempo perdoa tudo / 33
A imaginação / 35
Irmamente / 37
Interpretação de texto / 39
Mulher no volante / 41
Transplante de amor / 43
Esmolas afetivas / 45
Convivência fatal / 47
Nada passa / 49
O choro deles vale mais / 51
Minha fantasia de carnaval / 53
Confissão on-line / 55
Como será a nova namorada dele? / 58
Os virgens / 60

Rótulos e preconceitos / 62
Paz e amor / 64
Bares e casamentos / 66
O circo do futuro / 68
Antes do dia partir / 70
Quase / 72
Pirâmide de erros / 74
O destino está nas cartas / 76
O mundo não é maternal / 78
Os segredos de Fátima / 80
Licença paternidade / 82
Sexo sem amor / 84
Quero ser Pedro Almodóvar / 86
Todo homem tem duas mães / 88
Match point / 90
Mundo interior / 92
Tempo pra gastar devagar / 94
24 horas non-stop / 96
Amores interrompidos / 98
O autógrafo dos anônimos / 100
Como vencer uma eleição / 102
O senso da raridade / 104
Com vista pra vida / 106
O amor em estado bruto / 108
Elogio à alienação / 111
Pais e filhas / 113
A independência de cada um / 115
Ironia / 117
Breguices / 119
Felicidade instantânea / 121
O sexo natural / 123
Sobre duas rodas / 125
Sexo nas alturas / 127

A dor dos outros e a nossa / 129
Crônica do incompreensível / 131
Jazz e ternura / 133
Recall / 135
Icebergs / 137
Se eu fosse eu / 139
Últimas palavras / 141
O tabu da traição / 143
A morte devagar / 145
A arte maior / 147
Eu te amo / 149
Proteção à vida / 151
Música x comida / 153
Os perigos da paixão / 155
Mentiras consensuais / 157
Sugestões de presente / 159
Uma odisseia na estrada / 161
Finitude / 163
Era uma vez Papai Noel / 165
Hedonismo / 167
Amor e sexo no novo século / 169
A fita métrica do amor / 171
Avec élégance / 173
Idade avançada / 175
Tudo conosco / 177
Espécies em extinção / 179
Amores apertados / 182
Refúgio móvel / 184
Clonagem de textos / 187
Você é / 189
Mulheres de cera / 191
Elogio à Marília Gabriela / 193
Formiguinhaz / 196

A prisão de cada um / 199
Bichos de pelúcia / 201
Bichos de pelúcia parte 2 / 203
A pior hora pra falar disso / 206
O cego do Everest / 208
A sogra do meu marido / 210
A raça dos desassossegados / 212
Bolero e rock'n'roll / 214
As pequenas maldades / 216
Liberdade, a palavra / 218
Chutando cachorro morto / 220
Procura-se orgasmo / 222
Simplicidade / 225
O homem de roupão / 227
Sentir-se amado / 229
Futebolzinho / 231
Um deus que sorri / 233
Amor e perseguição / 235
Por baixo dos panos / 237
Quantos dólares vale um Kennedy / 239
Qualidade de vida / 241
Para sempre, até quando? / 243
Qualquer Caetano / 245
Eu chego lá / 247
Dois ou três beijinhos / 249
Leasing de amor / 251
No mesmo barco / 253
Sobre a autora / 255

O ponto G

Isabel Allende é uma das escritoras que mais admiro, não só por seus livros, mas também por seu humor, sua trajetória de vida e sua força diante de dramas inesperados, como a morte prematura de sua filha de 28 anos, que acabou lhe inspirando um romance biográfico emocionante, *Paula*.

Hoje Isabel vive feliz em Sausalito, Califórnia, com o segundo marido. Lendo a entrevista que ela deu para a *Playboy*, ri muito com suas declarações, e uma delas me pareceu um verdadeiro achado. "As mulheres gostam que lhes digam palavras de amor. O ponto G está nos ouvidos. Inútil procurá-lo em outro lugar."

Ah, o ponto G, esse paraíso secreto que leva os homens a explorações minuciosas. Tanto trabalho por nada. Não temos um ponto G, mas dois, um em cada lateral da cabeça, e não é preciso tirar nossa roupa para nos deixar em êxtase. Falem, rapazes. Digam tudo o que sentem por nós, assim, assim... isso.

Concordo com a autora de *A casa dos espíritos*: o melhor afrodisíaco é a declaração de amor. Não aquelas mecânicas, faladas no piloto automático, mas as verdadeiras, sentidas, aquelas que os homens imaginam que basta serem ditas com o olhar e com as mãos, mas que fazemos questão de escutar também com a voz. "Como eu gosto de estar com você, como você é linda, esqueço do tempo ao seu lado, que horas são? Já? Que me esperem, não consigo desgrudar de você, amor." Caetano Veloso vendeu um milhão de cópias do seu último disco, e tenho certeza de que não foi por causa de "vou me embora, vou me embora, prenda minha..." e sim "por que você me deixa tão solto, por que você não cola em mim?"

As feministas mais ortodoxas devem estar bufando. Tanta coisa pra se exigir de um homem: mais espaço na política, mais ajuda em casa, salários iguais e nada de gracinhas no escritório, e vem essa daí clamar por palavras! Pois essa daqui acha tão interessante a ideia de igualdade entre os sexos que adoraria vê-los soltar o verbo como nós fazemos, expressar os sentimentos sem medo de ser piegas, afirmar e reafirmar diariamente como a gente é importante para eles e que saudades estavam do perfume dos nossos cabelos. Clichê em último grau, reconheço, mas quem quer ser moderna nessa hora? Tudo o que se reivindica é o desbloqueio emocional masculino. Nossos hormônios saberão como agradecer.

Agosto de 1999

Religião e infidelidade

Há quem ame e quem odeie Arnaldo Jabor. Faço parte do primeiro time. Depois que Paulo Francis faleceu, o jornalismo corrosivo e performático ficou órfão, e Jabor acabou assumindo o posto. Alguns não perdoam sua arrogância, mas prefiro a provocação de alguém que não se contenta com primeiras versões do que a reverência bovina com que recebemos a maioria das informações que nos despejam.

No programa Manhattan Connection do dia primeiro de agosto, mesa-redonda dominical que vai ao ar pelo canal GNT, Jabor falava sobre casamento quando saiu-se com essa pérola: "Os casamentos convencionais só se sustentam por causa da religião ou da infidelidade". Ainda provocou: "Esta frase vai fazer eu receber uns e-mails bem malcriados".

Tenho dúvidas se esta frase é dele ou de Nelson Rodrigues, e se ele recebeu alguns desaforos via internet, não sei, mas que é um assunto palpitante, isso é. Depois de casar e ser feliz, o que a gente faz com nossa necessidade de desejar? Jabor apontou duas saídas.

A saída do bem é a religião, principalmente a católica, que chega às raias do histerismo em relação a sexo: condena as relações pré-matrimoniais, condena a pílula e a camisinha, condena o divórcio e, se o assunto for adultério, vade retro. Para a Igreja, o casamento se justifica apenas para constituir família, e só obedecendo tintim por tintim os mandamentos divinos é que se poderá fugir das tentações e ser feliz para sempre.

A saída do mal é mais realista, porém condenável sob a luz do sol. Um casal vive sob o mesmo teto, se ama e se entende. Pode ter filhos ou não. Viaja junto, vai ao cinema junto, dorme junto, acorda junto. Uma maravilha, mas onde foi parar a adrenalina que estava aqui? A rotina comeu. Restam duas alternativas: ou confundem tédio com falta de amor e se separam, ou mantêm-se juntos mas preservam suas fantasias, também conhecido como "cavalo amarrado também pasta".

Casamentos de longos anos, plenamente satisfatórios, baseados no amor, respeito e confiança, sem precisarem apelar para a fé ou para os motéis? Existem, evidente. Foram todos fotografados e estão expostos nas salas de estar. Mas hoje em dia, percorrer vinte anos de vida em comum mantendo o sorriso nos lábios e o vigor sexual, ou o casal é muito cristão ou é muito malandro.

Agosto de 1999

Democracia sexual

Se você frequentou reuniões dançantes, lá pelos idos dos anos setenta, vai se lembrar. Era muito comum uma garota ser tirada para dançar e responder na lata: "Não". Se era uma garota educada, dizia: "Não, obrigada". Mas não havia um pingo de remorso na negativa. Ela não estava a fim. O cara que voltasse para seu lugar ou tentasse dançar com outra menina.

Hoje todos dançam em grupo e também sozinhos, é só chegar e entrar na pista. As relações mudaram. Uma garota, por exemplo, já não precisa esperar para ser "pedida em namoro", como acontecia antes. As coisas rolam com mais naturalidade, e se ela estiver a fim do cara, é só falar. E ele tem todo o direito de responder: "Não". Se for educado, "não, obrigado".

Parece simples, mas muita gente ainda está engessada no tempo em que uma mulher podia negar um homem, mas um homem não podia negar uma mulher. Alguns homens ainda se sentem na obrigação de encarar um romance rápido com uma mulher por quem eles não sentem absolutamente nada, mas que facilitou. E muitas mulheres ainda se sentem ofendidíssimas quando demonstram interesse explícito por um homem e ele recusa a oferenda.

A revolução sexual acabou com esses rituais de

caça e caçador. Se a caça se oferece para o abate, mas o caçador não está com fome, ele tem todo o direito de deixar a chance passar sem que outros caçadores o rotulem de babaca e sem que a caça se sinta humilhada. Vivemos uma época em que alguns casais se unem pelo amor e outros casais se unem pelo desejo, estes últimos abrindo mão das idealizações e do romantismo. Quando surgiu a pílula anticoncepcional e os tabus sexuais caíram por terra, mulheres do mundo inteiro comemoraram a possibilidade de vivenciar romances leves, prazerosos e descompromissados, como os homens vinham fazendo por séculos. A conta, no entanto, não tardou a chegar: o convívio com a rejeição.

O homem pode transar com a mulher numa noite e na manhã seguinte partir sem deixar o número do telefone, e as mulheres devem aceitar isso como parte do jogo. Uns ficam, uns vão. Lutamos muito para ter o direito de tirá-los para dançar. Agora temos que aprender a ouvir "não, obrigado" e não deixar que isso estrague a festa.

Setembro de 1999

Prometa não sofrer

Círio de Nazaré, dia de Nossa Senhora Aparecida, dia de Nossa Senhora do Caravaggio: hora de cumprir promessa. Fico perplexa diante dessas pessoas que carregam nos ombros uma vela de dois metros de altura para agradecer um emprego, pessoas que sobem trezentos degraus de joelhos para agradecer a volta de um filho pródigo, pessoas que caminham vários quilômetros sob o sol forte por sentirem-se devedoras de uma graça alcançada. Sofrem esses fiéis! São reféns da própria fé. Acreditam mais nela do que em médicos e em currículos. Creem estar recebendo favores do além e pagam com penitência.

Aprendemos desde cedo que a promessa, para ter algum valor, tem que nos fazer abdicar de algo que gostamos muito. Em escala bem menor de drama, muitas garotas já prometeram ficar uma semana sem tomar refrigerante caso um determinado carinha ligasse no sábado. Rapazes prometem ficar sem ver futebol na tevê se passarem no vestibular. Mulheres prometem ficar uma semana sem ver novela se o contrato do aluguel for renovado. Homens prometem subir pela escada em vez de subir pelo elevador se conseguirem uma promoção. Sofrimentos mais urbanos e menos trabalhosos, mas, ainda assim, punições.

Outro dia, lendo uma entrevista que o ator José Dummont deu à revista *República*, fechei com ele:

promessa tem que ser pro bem, não pro mal. Em tom de brincadeira, ele disse que, para conquistar o que quer, promete que vai passar o dia sorrindo, promete que vai dizer bom dia para todos que cruzarem na sua frente, promete que vai tratar bem de si mesmo. Gênio.

A religião católica tem na culpa seu maior alicerce, e o rito das promessas é a maior prova de que, sob os olhos de Deus, não somos merecedores da felicidade, ao menos não de uma felicidade gratuita. Não por acaso, muitas pessoas que estão de bem com a vida escondem esse estado de espírito com medo de um tal olho gordo que juram que existe. A felicidade é, subliminarmente, condenável. Ao almejá-la, fica acertado que se pagará muito caro por ela, se não em cash, ao menos em bolhas nas mãos e calos nos pés.

Agradecer com orações é uma coisa. Agradecer com esfoliações, outra. Eu prefiro agradecer ouvindo música, procurando os amigos, levando as situações com bom humor, cumprindo minhas responsabilidades, dormindo tranquila, lendo poemas, fazendo ginástica. Agradeço usufruindo a saúde que recebi, e não entregando-a feito um dízimo cobrado de todos os que têm seus sonhos atendidos. Ser infeliz, sim, é que devia ser pecado.

Setembro de 1999

Madonna x Marília

Sou fã de Marília Gabriela. Acho ela inteligente, bem-informada, bem-humorada e com um talento nato para desmascarar, no bom sentido, seus entrevistados, nos dando uma ideia muito clara de quem é a pessoa por trás da fama. Por isso não preguei o olho no último domingo antes que terminasse a sua tão comentada entrevista com Madonna.

Sessões de perguntas e respostas têm muito a ver com psicanálise. O entrevistado vai montando o quebra-cabeças da sua vida à medida que se deixa investigar, e cabe ao espectador decifrar se ele está sendo franco ou diplomático. Geralmente quem precisa da entrevista esquece a cautela. Por necessidade de divulgar seu trabalho ou por uma vaidade natural, o entrevistado vai além do que foi questionado. Em vez de responder objetivamente, dá vazão aos temas propostos, fazendo análises mais completas e facilitando o trabalho do entrevistador.

Não foi o caso da entrevista com Madonna. Gabi precisava mais desta entrevista do que a cantora, era dela a vantagem de estar cara a cara com um dos maiores ícones deste século, enquanto Madonna parecia estar fazendo uma concessão a uma ilustre desconhecida. Fosse uma entrevista para Larry King, da CNN, Madonna saberia que suas declarações poderiam estar na capa da *Time* no dia seguinte, mas não iria correr riscos desnecessários pelo SBT.

"O que é ser uma atriz?" Qualquer criança sabe, é interpretar papéis, fingir-se de outra pessoa. Fizesse esta pergunta para Carolina Ferraz e a resposta seria mais detalhada, íntima, generosa. "Como você definiria a verdade?" Se a pergunta fosse para Paulo Coelho, ele se desdobraria para dar uma resposta à altura da expectativa de seus leitores. "O que significa ter quarenta anos?" A gente sabe: é não ter mais 39 e ainda não ter chegado aos 41. Mas todo entrevistado entra no jogo e sai discorrendo sobre crises de meia-idade, medo da morte, velhice x juventude mental. Madonna não deu essa moleza. Foi cruel em sua economia.

Sonia Braga, cerca de dois meses atrás, deu uma entrevista de sonho para Gabi. Sem que ninguém insistisse, fez um strip-tease verborrágico, revelando listas de amantes e detalhes sobre suas proezas sexuais. Precisava aparecer. Depois da entrevista, voltou para a semiobscuridade onde vive atualmente.

Já Madonna não iria entregar sua intimidade de mão beijada. Foi-se o tempo em que se expor publicamente fazia parte do seu show. Marília Gabriela, tão competente, subestimou a experiência da popstar, que não caiu em armadilhas como esta: "Qual a diferença entre transar com um homem e transar com uma mulher?". Sei que todo jornalista tem a obrigação de fazer esse tipo de pergunta, havendo procedência. Se colar, colou. Para a infelicidade de Marília Gabriela, não colou.

Setembro de 1999

Pedaços de mulher

Pedro Almodóvar, cineasta espanhol, certa vez justificou sua admiração pelas mulheres declarando que elas eram feitas de muito mais pedaços do que os homens. Li essa declaração na resenha que a revista *Veja* fez a respeito do filme *Tudo sobre minha mãe*, que merece cada elogio que vem recebendo mundo afora.

Todo ser humano é um quebra-cabeça composto por muitas peças, e concordo com Almodóvar: nós, do sexo feminino, fazemos parte daqueles jogos mais complicados, difíceis de montar. Quantos pedaços formam uma mulher? Tantos que ela vive inacabada.

Nossos pedaços custam a se encaixar. O epicentro do quebra-cabeça costuma ser a maternidade, um pedaço grande que precisa combinar com o pedaço da luxúria, com o pedaço da solidão e também com aquela partezinha da preguiça, que ninguém avisou que fazia parte do jogo. Há peças variadas que, vistas separadamente, não têm nada a ver uma com a outra, mas juntas fazem shazam. O pedaço da submissão que precisa encaixar com o pedaço da rebeldia, o pedaço da juventude que tem que encaixar com o pedaço da menopausa, um pedaço desgarrado que tem que encaixar com o imenso pedaço da nossa árvore genealógica, e vários outros pedaços aparentemente sem combinação: nossa parte homem, nossa parte criança, nossa parte louca, nossa parte santa, nossa parte lúcida, nossa parte conivente, nossa parte viciada, e mais aquelas desgastadas pelo uso, e umas que se perderam, e outras tão pequenas que ficaram invisíveis. Como encaixar o que não se revela nem pra nós mesmas?

Almodóvar filma as mulheres como se elas fossem pizzas de vários sabores. *Mezzo* freiras, *mezzo* HIV positivas. *Mezzo* doces, *mezzo* apimentadas. *Mezzo* dramáticas, *mezzo* divertidas. Almodóvar nunca fecha o quebra-cabeça, apenas esparrama na tela os vários pedaços que, unidos, nos transformariam num ser único, e que, uma vez pronto, já não empolgaria ninguém. Daí a importância de haver sempre uma peça faltando, pois é isso que nos mantém acordados, assim no cinema como na vida.

Outubro de 1999

Os novos

Outro dia estava conversando com os alunos do Pré-Vestibular Unificado, juntamente com o professor Flávio, quando começamos a debater a tendência que a imprensa tem, no mundo todo, de rotular os talentos que emergem na literatura, na música, no esporte, no cinema. Não basta que o artista que começa a repercutir na mídia seja novo. Ele tem que ser um novo alguém.

Durante o lançamento do livro do David Coimbra, há poucas semanas, escutei mais de uma vez o chamarem de "o novo Nelson Rodrigues". Bastou fazer meia dúzia de lindos gols para Ronaldinho Gaúcho ser anunciado como "o novo Pelé". Quando o grupo de rock Oasis estourou na Inglaterra, poucos anos atrás, foi comparado nada menos do que com a maior banda do século: eram "os novos Beatles".

Não há dúvida que a intenção é elogiar, e estes elogios às vezes vêm acompanhados do providencial "guardadas as proporções", para mostrar que o autor do elogio não está desprovido de critério. Mas esta simplificação pode ser uma faca de dois gumes. Ao mesmo tempo que exalta o trabalho do elogiado, também cria uma expectativa no público que pode acabar sendo predatória.

Quando Ayrton Senna morreu, ninguém disse em voz alta que Rubens Barrichello seria o novo

Senna, mas o inconsciente coletivo acabou cobrando isso dele. Poucos se contentaram que ele fosse apenas o Rubinho, menos experiente, menos veloz, mas ainda assim talentoso. Queríamos a reencarnação imediata. E há aqueles exemplos em que o rótulo é dado para crucificar mesmo, caso de Ciro Gomes, que vai disputar a eleição para presidente em 2002 com o ingrato apelido de "o novo Collor".

Ao batizarmos as pessoas como novos gênios ou novos fracassos, estamos ignorando o fator tempo, que é quem realmente elege os destaques da nossa cultura. David Coimbra pode vir a ser tão ou mais reconhecido que Nelson Rodrigues e Ronaldinho talvez venha a marcar três mil gols em sua carreira recém-iniciada. Já o Oasis, a não ser que minha bola de cristal esteja com defeito, não vai entrar para a posteridade. De qualquer maneira, tudo não passa de especulação.

Comparar é um hábito natural, mas é preciso ter cautela com os exageros. Um aluno me perguntou quem seria o novo João Cabral de Melo Neto. Não há nem haverá. Mas certamente estão surgindo poetas interessantes, com linguagem própria, cuja identidade precisa ser preservada. É injusto compará-los com quem levou uma vida construindo um nome. Não haverá outro Fellini, outro Chacrinha, nem um novo Lupicínio. Toda obra sofre influência da época em que se vive, e esta não se repete jamais. Um artista que consegue ser eternamente novo, será eternamente único.

Outubro de 1999

Quanto vale um sim

Você consegue um bom emprego na hora que bem entender? Você descola um amor do dia pra noite? Se entrar num banco, sai de lá com um empréstimo sem burocracia? Se você respondeu sim para todas estas perguntas, parabéns. E fique atento para o horário de partida do seu disco voador, pois a qualquer momento você terá que voltar para seu planeta.

Entre nós, terrestres, o sim é uma resposta rara. Na maioria das vezes, NÃO há vagas, NÃO querem editar nossos poemas, NÃO temos fiador, a garota NÃO quer ouvir uns discos na sua casa, o garoto NÃO quer usar camisinha e o guarda de trânsito NÃO foi com sua cara e vai multá-lo, sim, senhor. NÃO está fácil pra ninguém.

Ao contrário do que possa parecer, esta não é uma visão pessimista da vida. As coisas são assim, dão certo e dão errado. Pessimismo é acreditar que ouvir um não seja uma barreira para realizar nossos planos. Tem gente que fica paralisado diante de um não. Nunca mais vai à luta. Já o otimista resmunga um pouco e em seguida respira fundo e segue em frente.

Quando eu tinha dezessete anos, mandei uns versos para um concurso de poesia. Não ganhei nem menção honrosa. Daí entreguei meus versos para o

Mario Quintana avaliar. Ele não respondeu. Neste meio tempo eu estava apaixonada por um cara que ignorava minha existência. Quando eu não estava pensando nele, fazia planos de morar sozinha, mas meu estágio não era remunerado. Aí quis viajar para a Europa, mas não consegui entrar num programa de intercâmbio. Surpreendentemente, não me passou pela cabeça a ideia de me atirar embaixo de um caminhão.

Hoje tenho nove livros publicados (cinco deles de poesia), sou casada com o homem que amo, tenho a profissão dos sonhos e viajo uma vez por ano, e tudo isso sem ganhar na mega sena, sem cirurgia plástica, sem pistolão ou pacto com o demônio. O segredo: cada não que eu recebi na vida entrou por um ouvido e saiu pelo outro. Não os colecionei. Não foram sobrevalorizados. Esperei, sem pressa, a hora do sim.

O não é tão frequente que chega a ser banal. O não é inútil, serve só para fragilizar nossa autoestima. Já o sim é transformador. O sim muda a sua vida. SIM, aceito casar com você. SIM, você foi selecionado. SIM, vamos patrocinar sua peça. SIM, a Camila Pitanga deu o número do celular dela.

Quando não há o que detenha você, as coisas começam a acontecer, sim.

Novembro de 1999

A mulher e a patroa

Há homens que têm patroa. Ela sempre está em casa quando ele chega do trabalho. O jantar é rapidamente servido à mesa. Ela recebe um apertão na bochecha. A patroa pode ser jovem e bonita, mas tem uma atitude subserviente, o que lhe confere um certo ar robusto, como se fosse uma senhora de muitos anos atrás.

Há homens que têm mulher. Uma mulher que está em casa na hora que pode, às vezes chega antes dele, às vezes depois. Sua casa não é sua jaula nem seu fogão é industrial. A mulher beija seu marido na boca quando o encontra no fim do dia e recebe dele o melhor dos abraços. A mulher pode ser robusta e até meio feia, mas sua independência lhe confere um ar de garota, regente de si mesma.

Há homens que têm patroa, e mesmo que ela tenha tido apenas um filho, ou um casal, parece que gerou uma ninhada, tanto as crianças a solicitam e ela lhes é devota. A patroa é uma santa, muito boa esposa e muito boa mãe, tão boa que é assim que o marido a chama quando não a chama de patroa: mãezinha.

Há homens que têm mulher. Minha mulher, Suzana. Minha mulher, Cristina. Minha mulher, Tereza. Mulheres que têm nome, que só são chamadas de mãe pelos filhos, que não arrastam os pés pela casa nem confiscam o salário do marido, porque elas têm o dela. Não mandam nos caras, não obedecem os caras: convivem com eles.

Há homens que têm patroa. Vou ligar pra patroa. Vou perguntar pra patroa. Vou buscar a patroa. É carinho, dizem. Às vezes, é deboche. Quase sempre é muito cafona.

Há homens que têm mulher. Vou ligar para minha mulher. Vou perguntar para minha mulher. Vou buscar minha mulher. Não há subordinação consentida ou disfarçada. Não há patrões nem empregados. Há algo sexy no ar.

Há homens que têm patroa.

Há homens que têm mulher.

E há mulheres que escolhem o que querem ser.

Novembro de 1999

A arte de viver

Uns cantam, uns dançam, outros fazem embaixadas por 24 horas sem deixar a bola cair. Uns são campeões de paraquedismo, uns pintam telas abstratas, outros equilibram pratos na ponta do nariz. Vivem nas revistas, na tevê, dando entrevistas.

Quem não tem um talento especial acaba se sentindo um penetra nesta festa onde todos têm tido os seus quinze minutos de *Caras*. Uns sabem desfilar, outros são chefes de cozinha, há os reis do pagode. Uns pilotam carros, outros apresentam talk shows, volta e meia aparece um novo ilusionista. Como não se sentir descartado neste planeta de tantos destaques? Simples: valorizando nossos pequenos grandes talentos.

Viver é uma arte. A arte de conversar com desconhecidos, por exemplo. De se revelar em poucas palavras para uma pessoa que não sabe nada de você, e você nada dela, e estabelecer um contato que seja agradável e frutífero para ambas as partes, evitando silêncios constrangedores ou, pior, o sono.

A arte de ser pontual. Para pouquíssimos. Calcular exatamente o tempo que se chega de um ponto a outro da cidade e ter a capacidade de prever o imprevisto: trânsito mais caótico do que o normal, chuva, falta de lugar para estacionar. Atender um paciente na hora marcada. Decolar no horário previsto. Não entrar atrasado no teatro. Um dom.

A arte de manter uma amizade por anos a fio. Aquele amigo da adolescência que foi morar em outro país. Aquela amiga com quem você se desentendeu por causa de uma bobagem. Aquela turma que já não pensa como você. É uma arte saber onde e quando procurá-los, telefonar nos momentos especiais, esquecer as picuinhas, aceitar seus novos pontos de vistas, lembrar e rir juntos do passado. Um talento a ser aprimorado diariamente.

A arte de se isolar. De penetrar no nosso íntimo, de buscar ajuda na meditação, de deliberadamente não pertencer a grupo nenhum e fundar uma natureza própria, e ainda assim não ser um ermitão, ser apenas alguém que de tempos em tempos se retira para se reencontrar. Há uma técnica para isso.

A arte de perceber segundas intenções, a arte de se controlar, a arte de fixar prioridades, a arte de saber furar os bloqueios, a arte de não desistir na primeira dificuldade, a arte de não viver uma vida de aparências, a arte de andar desarmado, metafórica e literalmente falando. Cada um de nós mereceria ao menos uma reportagem para homenagear nossos dons mais secretos, aqueles que acontecem bem longe dos holofotes. O dom de viver sem aplausos e sem plateia. O glorioso e secreto dom de vencer os dias.

Dezembro de 1999

Le champagne

Nunca se falou tanto em champanhe, desnecessário explicar por quê. Ele é a vedete desta virada de década, aquele com quem todos adentrarão o ano 2000, até mesmo aqueles que antes entravam com sidra ou com guaraná espumante: desta vez, vai ser na companhia dele, custe o que custar, literalmente.

Outro dia foi publicado no jornal *Zero Hora*, no caderno de gastronomia, um texto de uma tal madame Lilly Bollinger, rainha da região de Champagne, na França, em que ela revelava quais eram, na sua opinião, os momentos em que se tornava imprescindível abrir uma garrafa. Vale a pena reproduzir: "Eu só bebo quando estou feliz e quando estou triste. Às vezes, bebo quando estou sozinha. Quando estou acompanhada, considero obrigatório. Eu me distraio com champanhe quando estou sem fome, e bebo quando estou com fome. Fora isso, nem toco no champanhe, a não ser que esteja com sede".

Adoro este texto. Antes de ser uma apologia ao alcoolismo, é uma lição de savoir-vivre, para ficarmos no idioma da senhora citada. É claro que não dá para beber champanhe como se fosse água mineral, mas dá para a gente beber água mineral como se fosse champanhe. É só uma questão de estado de espírito.

Por que comemorar apenas as datas festivas?

Certa vez José Saramago escreveu que não existe dia festivo, nós é que o tornamos festivo por fazê-lo diferente. O gajo é sábio, reconheça.

Para mim, todas as segundas-feiras são festivas pelo simples fato de eu ter sobrevivido ao domingo: champa. Começar um livro novo, ver um filme diferente, ganhar um bom disco de jazz: champa. Seu projeto vingou, seu pagamento saiu, seu telefone tocou, sua espinha sumiu, seu amigo chegou: champa. E ninguém mais está mandando para seu correio eletrônico aqueles arquivos que levam vinte minutos para serem abertos: garçom, desça duas dentro de um balde de gelo, s'il vous plaît.

Se não puder ser champanhe, que seja água, cerveja, Mirinda, qualquer coisa que dê a você a sensação de estar comemorando o fato de estar vivo. Mesmo os dias de ressaca merecem um brinde silencioso, pois sofrer também é sintoma de que o coração está batendo. Data marcada pra festejar é um rito, não pode bloquear nossa criatividade. Champa no reveillon, mas também nos outros dias do ano. Champa em Paris, mas também na beira da praia. Champa a dois ou pensando em alguém distante. Champa de verdade ou de brincadeirinha, não importa. O que não pode é faltar gás. Santé!

Dezembro de 1999

Na minha família ou na sua?

Se tem coisa que não dá para fugir é da festa de Natal. No Ano-Novo a dispersão é um pouco mais aceita, mas no Natal a família se impõe e ai de quem arredar pé. Maridos, filhos, netos, todos precisam estar reunidos em volta do peru ou correrão o risco de serem deserdados. Tá bom, tá bom, a gente fica.

Porém, as pessoas não são avulsas. Há aqueles que têm namorados, noivos, maridos e esposas, cada um com sua família de origem. Como não é possível estar em dois lugares ao mesmo tempo, é preciso um acerto prévio com os ponteiros do relógio.

Dos problemas do mundo, este deve estar certamente no final da fila. Pelo menos é o que eu achava, até que outro dia recebi a carta de um leitor que dizia estar quase perdendo a namorada por causa deste impasse. Simplesmente ela estava se recusando a passar as festas de fim de ano sem ele. O rapaz contemporizou. Disse que passaria a ceia com a família dele e depois iria para a casa dela. Mais sensato, impossível. Mas a garota não topou o arranjo. Quer o cara ao seu lado em todas as meias-noites a que tem direito neste emblemático fim de ano. Caso contrário, será a prova de que ele não a ama mais.

Ah, os caprichos do amor. A garota não quer apenas a companhia do rapaz: quer um atestado de que não está só, quer se sentir capaz de fazer seu namorado mudar de hábitos e deixar claro que o feminismo jamais conseguirá extinguir certas convenções: namorado tem que abrir mão da família em nome da sua garota, e se puder vir de cavalo branco, tanto melhor.

Eu não sei qual foi o desfecho desta história, se ele conseguiu negociar ou se foi vencido. Eu torço pela primeira hipótese, para o bem deste amor. Quando o casal, desde o início, põe em prática essas disputas de poder, a relação tem tudo para ser desastrosa. Se existe uma coisa boa da maturidade é dar importância apenas para o que é importante, enquanto que na adolescência a gente faz drama por nada. Este será o último Natal do século, e logo em seguida vem a virada para o ano 2000. É natural que a gente queira tudo a que tem direito nestas duas grandes datas, inclusive passá-las ao lado do nosso amor. Se der, ótimo. Se não der, está aí uma boa oportunidade para demonstrarmos que modernidade não depende do calendário, mas de nossas atitudes.

Dezembro de 1999

O tempo perdoa tudo

Se alguém mata uma pessoa e consegue escapar da polícia, mantendo-se fora do alcance da lei por um longo período, o crime prescreve. Vinte anos depois do delito cometido, fica extinguida a punibilidade do criminoso por o Estado não tê-lo julgado e condenado em tempo hábil. Agora pense bem: se até a Justiça admite que depois de os ânimos serenarem ninguém precisa mais de castigo, talvez a gente também devesse suspender a pena daqueles que cometeram crimes contra o nosso coração.

Mágoas entre pais e filhos, por exemplo. Não tem nada mais complicado do que família, você sabe. Amor à parte, os desentendimentos são generalizados, e às vezes uma frustração infantil segue perturbando a gente até a idade adulta. Seu pai nunca lhe deu um abraço? É um crime fazer isso com uma criança, mas é preciso prescrevê-lo. Vinte anos depois, não dá para continuar usando essa justificativa para explicar por que você usa drogas ou por que não consegue ser afetuoso com os outros. Cresça e perdoe.

Você jurou que nunca mais iria falar com aquele seu amigo que lhe dedurou no colégio? Eu também acho que deduragem é falta de caráter, e você teve toda a razão de ficar danado da vida. Mas quanto tempo faz isso? O cara agora está jogando futebol no seu time, tem sido um companheirão, e você segue não baixando a guarda por causa daquela molecagem do passado. Releve e chame o ex-inimigo para tomar uma cerveja, por conta dos novos tempos.

Dureza, agora: ele foi o amor da sua vida. Chegaram a noivar. Você já estava comprando o enxoval quando o cara terminou tudo. Por telefone. Não deu explicação: rompeu e desligou. Na semana seguinte foi visto enrabichado numa bisca. Você deseja ardentemente que ambos caiam numa piscina lotada de piranhas famintas. Apoiado. Mas faz quanto tempo isso? Você já casou, ele já casou, aquela bisca não durou nem duas semanas. Por que ainda fingir que não o vê quando o encontra num restaurante? É bandeira demais ficar tanto tempo magoada. E a tal da superioridade, onde anda? Dê um abaninho pra ele.

Se quem estrangula e degola recebe o perdão da sociedade depois de duas décadas, os pequenos criminosos do cotidiano também merecem que a passagem do tempo atenue seus delitos. Não cultive rancor. Se não quiser mais conviver com quem lhe fez mal, não conviva, mas não fique até hoje armando estratégias de vingança. Perdoe. Vinte anos depois, bem entendido.

Dezembro de 1999

A imaginação

Ele ficou de ligar às duas da tarde. Às duas em ponto você estava plantada ao lado do telefone. Às duas em ponto o telefone não tocou. Nem às duas e quinze. Nem às duas e meia. Nem às três. Você liga pra ele e lhe comunicam que ele não está. Ninguém sabe onde ele está. Quatro e meia. O telefone numa quietude petulante.

A imaginação, então, começa aquele exercício macabro de formular suposições. Onde ele está, afinal?

1. Ele está em casa, quietinho. Não ligou de propósito. Não atendeu o telefone de propósito. Ele quer que eu me dê conta sozinha de que a história acabou. Ele não tem coragem de terminar olhando nos meus olhos. Prefere que eu fique com raiva dele, assim me conformo mais rápido. No fundo, ele está se achando muito bonzinho, aquele pulha.

2. Ele não ligou porque ficou chateado com o que eu fiz ontem. Foi isso. Mas que diabo fiz ontem? Nós não brigamos. Não nos xingamos. Não falei mal da mãe dele. Nem da camisa puída dele. Nem do timeco dele. Ficamos o tempo todo no maior amasso. Eu fiz tudo certo, cacilda.

3. Ele conheceu outra depois que saiu aqui de casa. Ele passou num bar para tomar a saideira e viu a garota encostada no balcão. Chegou nela. Falaram.

Ficaram. Saíram juntos. Estão juntos até agora, cinco e vinte da tarde. Eu quero morrer.

4. Morrer? Foi isso! Ele saiu daqui levitando de paixão, atravessou a rua sem olhar para os lados e cataplum! Passaram por cima. No tombo, perdeu a carteira de identidade. Foi levado para o IML. Não o identificaram. Foi enterrado como indigente numa vala comum. Impossível telefonar de lá.

5. Ele não morreu. Foi atropelado, mas não morreu, só ficou com uns lapsos de memória. Esqueceu meu número. Esqueceu meu endereço. Esqueceu que existe guia telefônico. E também não sabe mais ver as horas.

6. Ele ligou. Ele ligou pontualmente às duas, como estava combinado, mas eu não ouvi. Que silêncio é esse? Estou surda. Socorro, estou surda.

Você está louca, isso sim. Basta falhar a combinação e você já fica variando, criando mil fantasias na cabeça. Você e a torcida do Flamengo. Por que ficamos tão enlouquecidos com a desinformação? Por que estamos sempre achando que vamos ser deixados de uma hora pra outra? Por que acreditamos tão pouco em contratempos e ficamos a imaginar o pior? Simples: porque estamos apaixonados. Acontece com as melhores cabeças.

Dezembro de 1999

Irmamente

Desde pequenos, escutamos nossas mães dizendo: reparte com teu amiguinho. Raios. Você queria o bolo só para você. Sobrou tão pouco e você ainda tem que dar um pedaço para esse mané que foi bater na sua casa justo na hora do lanche. Mil vezes raios.

O egoísmo tem fermento: cresce conosco. Queremos só para nós, seja o bife ou a herança. Sem essa de que o que é meu é teu. Tudo o que se reparte fica menor.

Fica. Não há controvérsias. O bife fica menor, a herança também. Em compensação, nossa angústia também diminui de tamanho ao ser repartida. Nossa dúvida cai pela metade quando a dividimos com alguém. Nossa solidão pode ser reduzida em 50% se abrirmos a porta para um amigo. A dor pode ser minimizada se aceitarmos que alguém nos segure a mão. Gente, é começo de ano, vocês queriam que eu falasse sobre o que, a morte do general Figueiredo? Permitam-me o sentimentalismo.

Dividir um estado emocional é bem mais difícil que rachar ao meio uma barra de chocolate. Às vezes trazemos dentro do peito uma tensão que nos anaboliza, e relutamos em acreditar que ela retrocederia se fosse repartida com um familiar, com um terapeuta ou até mesmo com um padre, desde que ele não saísse do confessionário direto para o programa do Gugu. Eu sou totalmente partidária da discrição, da economia de detalhes sobre a vida privada de cada um, mas, em certos casos, confidenciar pode ser um belo exercício para eliminar toxinas e perder peso. Duas confidências por ano e a alma já fica mais sarada.

Na verdade, estou tentando convencer a mim mesma, pois sou a maior moita. Falo, falo e não conto nada. Escrevo para desopilar um pouco, mas aquilo que existe de mais denso e secreto dentro de mim não revelo sob tortura e nem sob pagamento de direitos autorais. Dificilmente procuro amigos para abrir o coração. Raramente choro na frente dos outros. Não lembro a última vez que entrei numa igreja sem ser para um evento social. Divã, passei por um de forma meteórica treze anos atrás. Decididamente, não sou generosa comigo mesma. Neste ano que inicia, vou tentar repartir mais. Chega de ser ímpar, de querer resolver tudo sozinha, de privar os outros da minha parte que dói. Em 2000, vou dividir as chagas. Em troca, quero o bife só pra mim.

Janeiro de 2000

Interpretação de texto

Semana passada, o escritor Mário Prata confessou que não conseguiu entender uma questão que interpretava um texto seu numa prova de vestibular. Mário, toca aqui.

Aconteceu o mesmo comigo. Alguns anos atrás, uma universidade do Rio Grande do Sul incluiu uma crônica de minha autoria numa prova para que os vestibulandos a interpretassem. Eram três questões sobre um texto escrito por mim, logo, achei que tiraria de letra. Peguei uma caneta, li as alternativas propostas e fiquei boiando. Não entendi uma vírgula do que aquela alucinada queria dizer.

Quem está do lado de cá, escrevendo, não imagina o que pode passar pela cabeça de quem está lendo. Na nossa ingenuidade, supomos que não há nada para ser interpretado. A pergunta mais incômoda para um escritor é "o que você quis dizer com aquilo que escreveu?" Puxa, a gente se digladia diante do computador para ser simples, objetivo, encontrar o verbo que melhor explica nosso sentimento e ninguém entende lhufas. Dá vontade de desistir de tudo e vender pastel na beira da praia.

Sei que a interpretação de texto ajuda o aluno a pensar, concluir, avaliar, ler nas entrelinhas. Muita gente é adepta da leitura dinâmica: lê como se estivesse vendo televisão. Não dá. Há escritores herméticos, que necessitam atenção redobrada e um olhar mais astucioso sobre cada parágrafo. Há os inventores de uma nova gramática. Há os que escrevem em código. Há aqueles que deixam quase tudo subentendido. Há os escritores neuróticos. Os que camuflam de tal modo suas ideias que nem eles mesmos sabem o que querem dizer. A questão é: valerá o esforço de interpretá-los?

Eu reluto diante da ideia de que é preciso ensinar alguém a pensar sobre o que está sendo lido. Podemos e devemos estimular o hábito da leitura, mas toda obra é aberta e permite variadas reflexões. A maioria dos escritores, até onde sei, não ficam tentados a criar charadas quando escrevem. Ao contrário, a busca é pela comunicação, pela partilha de ideias e emoções. Pode-se fazer isso de forma densa, profunda, corrosiva, enigmática e, ainda assim, ser claro. Toda interpretação de texto se dá através da sensibilidade de quem escreve e de quem lê. O resto é teoria.

Janeiro de 2000

Mulher no volante

O carro da frente faz a curva em baixíssima velocidade. O motorista do carro de trás reclama: só podia ser mulher! Óbvio.

Nem é preciso recorrer às estatísticas, todas a nosso favor e nos permitindo pagar menos seguro. Basta olhar: as mulheres dirigem melhor. Não porque tenham mais talento para reconhecer placas de trânsito ou tenham menos pressa, mas porque são menos onipotentes.

Sabemos estacionar entre dois carros. Acionamos regularmente o pisca-pisca. Usamos os retrovisores, todos os três. Reduzimos diante de um quebra-molas. Exatamente como fazem os homens, porém com uma vantagem: estamos livres de qualquer comparação sexual com o desempenho do automóvel.

Os homens dirigem bem, logicamente, mas o carro, para alguns deles, não é apenas um meio de transporte, é também uma extensão da personalidade, pra não dizer de outra coisa. É aí que está o perigo constante. Homens ultrapassam em faixa contínua. Dirigem rápido. Acham babaquice reduzir na esquina se a preferencial é deles. Colam na traseira do carro da frente. São machos, tchê. Não vão andar por aí feito mulherzinhas. Mulherzinhas dão batidinhas. Arranhõezinhos. Raspõezinhos. Elas não sabem o que é um acidente de verdade.

Mulheres costumam ser mais responsáveis nos quesitos que realmente importam: controle de velocidade, respeito às leis e direção defensiva. Bobeamos no detalhe. Só lembramos duas quadras adiante que ainda não soltamos o freio de mão. Tiramos uns finos. Estacionamos meio longe da calçada. E retocamos o batom no espelhinho, sim, mas só quando o sinal está fechado pra nós, que somos jovens.

A única queixa que um homem pode ter contra uma mulher no trânsito é quando ela está no papel de copilota. Aí, reconheço, somos um pé. Dobra aqui. Vai mais devagar. Tinha vaga bem ali na frente, você não viu? A gasolina está acabando. Dá para botar numa FM?

Fora isso, somos inatacáveis. Parem de nos espinafrar, rapazes. Façam como os radares: nos amem.

Janeiro de 2000

Transplante de amor

Gastrite é uma inflamação do estômago. Apendicite é uma inflamação do apêndice. Otite é uma inflamação dos ouvidos. Paixonite é uma inflamação do quê? Do coração.

Cada órgão do nosso corpo tem uma função vital e precisa estar 100% em condições. Ao coração, coube a função de bombear sangue para o resto do corpo, mas é nele que se depositam também nossos mais nobres sentimentos. Qual é o órgão responsável pela saudade, pela adoração? Quem palpita, quem sofre, quem dispara? O próprio.

Foi pensando nisso que me ocorreu o seguinte: se alguém está com o coração dilacerado nos dois sentidos, biológico e emocional, e por ordens médicas precisa de um novo, o paciente irá se curar da dor de amor ao receber o órgão transplantado?

Façamos de conta que sim. Você entrou no hospital com o coração em frangalhos, literalmente. Além de apaixonado por alguém que não lhe dá a mínima, você está com as artérias obstruídas e os batimentos devagar quase parando. A vida se esvai, mas localizaram um doador compatível: já para a mesa de cirurgia.

Horas depois, você acorda. Coração novo. Tum-tum, tum-tum, tum-tum. Um espetáculo. O médico lhe dá uma sobrevida de cem anos. Nada mal. Visitas entram e saem do quarto. Até que anunciam o Jorge. Que Jorge? O Jorge, minha filha, o homem que você sempre amou. Eu????

Você não reconhece o Jorge. Acha ele meio baixinho. Um tom de voz estridente. Usa uma camisa cor de laranja que não lhe cai bem. Mas foi você mesma que deu a ele de aniversário, minha filha. Eu????

Seu coração ignorou o tal de Jorge. O mesmo Jorge que quase lhe levou à loucura, o mesmo Jorge que fez você passar noites insones, que fez você encher uma piscina olímpica de lágrimas. Em compensação, aquele enfermeiro ali é bem gracinha. Tem um sorriso cativante. E uma mão que é uma pluma, você nem sentiu a aplicação da anestesia. Bacana este cara. Quem é? O namorado da menina a quem pertencia seu coração. Tum-tum, tum-tum, tum-tum.

Transplantes de amor. Garanto que fariam muito mais sucesso que a safena.

Janeiro de 2000

Esmolas afetivas

É dureza levar um fora de quem a gente adora. Parece o fim do mundo, parece que nada pior pode nos acontecer. Mas pode. Pode o querido (vale para as queridas que se mandam, também) fazer o tipo bom-moço e encher você de palavras carinhosas depois do chega pra lá.

Você vai até a farmácia e acaba com o estoque de lenços de papel. O balconista finge não reparar no seu nariz vermelho e nos seus olhos inchados. Aí você volta para casa, liga o computador, abre sua caixa postal e está lá o nome do querido: mensagem para você. Seu coração dispara. Agarra o mouse com força, clica e lê as palavras mais lindas da língua portuguesa. Você foi muito importante pra mim. Jamais vou te esquecer. Foram os melhores dias da minha vida. Não mereço alguém tão perfeita. Seja feliz. Um beijo do sempre seu, Mané.

É um mané graduado, com PhD em tortura. Deve ter feito um estágio no Doi-Codi. Caramba, se ele acha você tão importante, tão perfeita, tão idolatrável, que diabos está fazendo com outra namorada? Por que não some do mapa de uma vez? Por que não faz a gentileza de deixar você esquecê-lo?

Os dias passam e o cara não escreve mais. Você retoma sua vida, lentamente. Ainda pensa muito nele, mas começa a perceber outras pessoas a sua volta e resolve abrir a guarda para a entrada de um novo amor. Aí, outro e-mail do Mané pousa na sua tela. Por que você anda sumida? Sinto muita saudade. Você é minha melhor amiga, sinto muito carinho por você.

Merece ou não merece um tijolo no meio da testa? Que papo é este de melhor amiga? Quanto ao carinho dele, você embrulha e envia para Guiné-Bissau, alguém lá pode estar precisando. Se ele não pode dizer as coisas que você quer ouvir, que não diga nada. Tudo o que ele consegue com essa lenga-lenga é fazê-la passar outra temporada na farmácia.

Não estou recomendando grossura. É muito bom saber que a gente foi importante para alguém depois que o romance foi finalizado. Mas cautela aí no politicamente correto. Pessoas apaixonadas querem declarações apaixonadas. A transição de namorada para amiga só é rápida e indolor quando não há mais paixão. Cabe ao que saiu de cena ter sensibilidade para deixar o outro sofrer em paz, sem alimentar esperanças. Mais tarde, ânimos serenados, reconstrói-se a relação em outras bases, se for o caso. Atacar de melhor amigo sabendo que a garota está abalada pode parecer uma atitude bacana, mas é apenas sadismo.

Janeiro de 2000

Convivência fatal

As razões pelas quais um relacionamento começa costumam ser as mesmas pelas quais ele termina. Não estou sendo original, muitos intelectuais já escreveram sobre isso, mas a gente continua achando que duas pessoas se unem e se separam por motivos grandiosos. Unem-se por causa de um amor avassalador e afastam-se por causa de uma briga avassaladora. Não é bem assim.

A atração se dá pelos pequenos detalhes. O jeito dela sorrir que cria uma covinha do lado esquerdo do rosto. O jeito dele usar o boné virado pra trás. A maneira como ela se despede no telefone. A maneira como ele toca no cabelo dela. O fato de eles gostarem dos mesmos filmes e odiarem as mesmas músicas. A penugem loira do braço dela. A tatuagem no ombro dele. O jeito carinhoso dela com as amigas. Os poemas sensíveis que ele escreve. Pequenos retalhos de uma colcha que vai sendo costurada durante todo o relacionamento. Até que um dia a colcha fica pronta, aquece por um tempo e aí começa a desfiar.

Infidelidades, brigas e espancamentos costumam acelerar o fim, mas não são os verdadeiros culpados pela derrocada da relação. São apenas consequências radicais daqueles pequenos desgastes que vão minando, em silêncio, a rotina doméstica. Ele não suporta a mania que ela tem de debulhar o milho no prato. Ela não suporta a mania dele ficar zapeando com o controle remoto sem parar em canal algum. Ele acha ridícula a maneira como ela amarra o cadarço do tênis. Ela detesta quando ele conjuga um verbo errado. Ele acha o perfume dela enjoativo. Ela acha que ele escova os dentes com displicência. Ele não aguenta o bom humor matinal dela. Ela não aguenta o ronco de urso dele. Ele queria que ela parasse de fumar. Ela queria que ele parasse de chegar atrasado. Eles queriam mágica: que seus parceiros virassem outra pessoa, mantendo-se eles mesmos.

Solução? Se eu tivesse uma, não estaria aqui. Estaria rica.

Fevereiro de 2000

Nada passa

Uma das músicas mais bonitas da MPB é aquela composta pelo Nelson Motta e cantada pelo Lulu Santos, que diz que na vida tudo passa, tudo sempre passará, como uma onda no mar. Linda. Mas é mentira.

A garota está sofrendo o diabo porque brigou com o namorado e a mãe consola com a frase de sempre: vai passar. O garoto levou bomba no vestibular e o melhor amigo diz: na próxima vez você passa. Analisando superficialmente, é verdade, a dor, um dia, cessa. Mas não se iluda: ela não bateu as botas, está apenas cochilando. Tudo passa? Nada passa!

É isso que ninguém tem coragem de nos dizer. A dor da perda, a dor de fracassar, a dor de não corresponder a uma expectativa, a dor de uma saudade, a dor de não saber como agir, de estar perdida, instável, de ter dúvidas na hora de fazer uma escolha, todas estas dores, que parecem pequenas para quem está de fora, nos acompanharão até o fim dos nossos dias. Elas não passam. Elas ficam. Elas aninham-se dentro da gente, o que não deve servir de motivo para pularmos de uma ponte. Mario Quintana escreveu que nós somos o que temos e o que sofremos. Sem dor, sem vida interior.

Não passam as dores, também não passam as alegrias. Tudo o que nos fez feliz ou infeliz serve para montar o quebra-cabeça da nossa vida, um quebra-cabeça de cem mil peças. Aquela noite que você não conseguiu parar de chorar, aquele dia que você ficou caminhando sem saber para onde ir, aquele beijo cinematográfico que você recebeu, aquela visita surpresa que ela lhe fez, o parto do seu filho, a bronca do seu pai, a demissão injusta, o acidente que lhe deixou cicatrizes, tudo isso vai, aos pouquinhos, formando quem você é. Não há nenhuma peça que não se encaixe. Todas são aproveitáveis. Como são muitas, você pode esquecer de algumas, e a isso chamamos de "passou". Não passou. Está lá dentro, meio perdida, mas quando você menos esperar, ela será necessária para você completar o jogo e se enxergar por inteiro.

Fevereiro de 2000

O choro deles vale mais

Os norte-americanos estão reagindo contra a absolvição dos quatro policias que mataram com 41 tiros o imigrante africano Amadou Diallo, em fevereiro do ano passado. O inocente puxou do bolso uma carteira e os policiais acharam que era uma arma, e mandaram bala. Está na cara que existe um forte componente racial nesta questão, pois se a vítima fosse um branco, os policiais teriam mais cautela e, no mínimo, economizariam munição. Eles admitiram o erro, e errar é humano contra índios, negros ou albinos, mas não pode ficar por isso mesmo. Talvez eles até merecessem ter a pena atenuada: alguns anos de detenção e dispensa do quadro de policiais de Manhattan, além de um rigoroso exame oftalmológico para aprenderem a distinguir uma carteira de uma arma. Mas deu "not guilty" para os quatro. Estão livres para voltar às ruas. Por que essa benevolência? É que os policiais choraram ao prestar depoimento. E nada é mais comovente que um homem chorando.

Mulheres choram quando vão presas, choram ao serem encaminhadas para a cadeira elétrica, choram ao verem seus filhos serem condenados, e ninguém altera veredito por causa disso. É considerada uma reação feminina previsível. Mas não no mundo dos homens. Eles, até pouco tempo, ficavam com o queixinho tremendo, mas engoliam o choro. Até que ninguém menos que King Kong chorou na telona do cinema e aí liberou geral. Igualdade para os troglodistas. Os homens passaram a soluçar, se lavar, se debulhar. Hoje choram quando nasce um filho, quando perdem a Copa, quando levantam a taça, quando sua mulher os abandona, quando morre um amigo, quando se sentem sozinhos. Choram pelas mesmas razões que as mulheres: quando estão emocionados ou quando sentem-se vítimas, seja de uma injustiça, de uma dor ou do destino. Bem-vindos, rapazes, ao vale de lágrimas.

Chorar é uma volta à infância, um transbordamento involuntário de emoções, nossa maior prova de inocência – não da inocência jurídica, mas da inocência de viver. Aquele policial que não conseguiu conter as lágrimas na frente das câmeras quando explicava para o juiz o que sentiu ao perceber que havia matado um homem por engano fez muito mais por sua absolvição do que qualquer junta de advogados. Antes de ouvir a sentença, ele já estava condenando a si próprio. Mais que isso: punindo a si próprio, expondo sua vulnerabilidade em cadeia nacional. Um homem que, até então, era pago para manter a ordem e seu controle emocional, descontrolou-se, e foi este gesto tão humano que lhe devolveu a liberdade. Não é tocante?

Se fosse com uma de nós, além do homicídio doloso, ainda seríamos condenadas por dar chilique.

Março de 2000

Minha fantasia de carnaval

Todo mundo tem uma fantasia. Encontrar George Clooney dando sopa num convés de um transatlântico. Participar de um ménage à trois. Virar a cabeça do entregador de pizza. Eu também tenho uma, e o carnaval me parece a época adequada para revelá-la.

Antes, preciso admitir que tenho um problema com esta esfuziante e libidinosa festa popular. Não consigo me soltar. Todo mundo pula, brinca, se acaba, enquanto eu entro na minha fase mais introspectiva. Fico me perguntando quando é que, realmente, usamos máscara: nos quatro dias em que nos permitimos fazer coisas que normalmente não faríamos, ou nos restantes 361 dias do ano, quando não nos permitimos fazer coisas que gostaríamos de fazer?

Acho estranho que no carnaval as pessoas usem coleiras quando no resto do ano posam de liberais. Mostrem os seios quando no resto do ano condenam o topless. Vistam-se de mulheres quando no resto do ano usam terno e gravata. Bebam até cair quando no resto do ano são abstêmios. E transem muito mais, quando no resto do ano fazem o quê? Por quatro dias, o clima é de liberou geral. A impressão que fica é que o carnaval funciona como uma espécie de liberdade condicional, como um banho de sol no pátio, como um indulto de Natal: libera-se os detentos por um curto espaço de tempo para, depois, todos voltarem para a cela.

Sei que deveria desencanar e botar logo um maiô de paetês, mas fico lembrando de como sempre passei batido por festas à fantasia. Seja por falta de humor ou excesso de senso do ridículo, sempre considerei essas festas um consentimento à extravagância, uma permissão para sermos outra pessoa, desde que em local e horário apropriados. Quando se é criança, vá lá, é uma brincadeira divertida, mas depois de certa idade acho que todos podem tirar suas fantasias do armário sem precisar vestir-se de faraó ou odalisca.

Não é à toa que bate em mim um coração de forasteira. Deveria estar fazendo ziriguidum em vez de ficar racionalizando feito uma socióloga da Sorbonne. Mas de que jeito? Sou ruim da cabeça e doente do pé: não gosto de samba. Nem de chuva, suor e cerveja. Gosto de blues, ar-condicionado e vinho tinto. Prefiro o ronco do John Lee Hooker ao ronco de uma cuíca. Por isso é que talvez esteja na hora de eu desfilar na avenida, sair atrás de um trio elétrico, botar meu bloco na rua, pra ver se consigo, finalmente, realizar minha fantasia inconfessa, que é me sentir brasileira ao menos por quatro dias.

Março de 2000

Confissão on-line

Eu morro e não vejo tudo. Há um site na internet que permite que católicos do mundo inteiro se confessem pelo computador. Não estou brincando, anote aí: www.theconfessor.co.uk. Eles lhes darão as boas-vindas, convidarão você a refletir sobre os seus pecados, arrepender-se, e aí você decide, ou confessa em silêncio, olhando para a tela do computador (a imagem é um céu azul com um girassol) ou pode fazer a confissão por escrito com a promessa de que nada será vazado. "This is between you and God."

Lembro como se fosse hoje: eu, aos dez anos de idade, ajoelhada numa casinha sinistra, escura, malcheirosa, dizendo para um vulto escondido atrás das treliças que eu havia dito palavrão, que havia discutido com a minha mãe, que havia matado aula de matemática (mentira, era de religião) e que havia esquecido de rezar na noite anterior. Um treinamento básico para desenvolvimento de culpas. O padre quieto, provavelmente dormindo com aquela cantilena. Lá pelas tantas, ele acordava e perguntava: estás arrependida, minha filha? Sim, eu respondia, pecando mais uma vez. Então reze dois pais-nossos, duas ave-marias e vá com Deus. Pronto. Estava quite de novo.

Nunca compreendi direito essas confissões cochichadas, e sempre estranhei que entre os dez mandamentos estivessem coisas tão antagônicas quanto "não matarás" e "não cobiçarás a mulher do próximo". Todo crime é pecado, mas nem todo pecado é crime. Ficava imaginando como um padre reagiria diante da confissão de um serial killer que tivesse matado vinte criancinhas, já que, não havendo hierarquia nos pecados, seria o mesmo que ele confessasse que estava de olho na mulher do vizinho. Até que soube de um padre que, tempos atrás, quebrou o voto de sigilo e entregou para a polícia um homem que havia confessado ser um matador de aluguel. O assassino, num momento de fé, resolveu dar uma limpada na consciência, já que o nome e a reputação haviam ido para o quinto dos infernos, mas encontrou pela frente um padre justiceiro que acredita que uns são mais filhos de Deus do que outros: calúnia tem perdão, blasfêmia tem perdão, furto tem perdão, mas você vai em cana, meu irmão.

Crime é assunto exclusivo da Justiça, e pecado é assunto de todos nós. O pecado mora ao lado, mora em cima, mora embaixo. O pecado mora dentro. Se eu fosse totalmente herege, diria até que é um dom divino, é o que nos torna humanos. A própria Igreja, através do papa João Paulo II, fez há pouco tempo seu mea-culpa por todos os erros cometidos no decorrer da sua história. E fez isso como deve ser feito: admitindo sua falta em voz alta. Sempre é mais producente pedir perdão para os diretamente atingidos: pais, amigos, colegas, professores, namorados, cristãos ou não. Pedir desculpas olho no olho pelas frustrações que causamos, por termos sido omissos, reconhecendo sinceramente nossos erros, sem intermediários. Pedir perdão pela internet me parece tão ineficiente quanto pedir perdão no silêncio do confessionário: são métodos virtuais demais para aplacarem remorsos verdadeiros.

Março de 2000

Como será a nova namorada dele?

Aí terminaram o namoro. Você ficou meio magoada, ele se sentindo meio culpado, mas deram meia volta, volver e cada um tomou seu rumo.

Passam-se uns dias e surpresa: ele tem nova namorada. Claro que você foi a primeira a saber, suas amigas fizeram questão de lhe contar, afinal, adoram você. Tudo bem, tudo bem, que eles sejam felizes.

Tudo bem uma pinoia. Você já arrancou todas as cutículas com a boca. Está se mordendo para saber como é sua rival. Mais bonita? Mais feia?

Caiu aqui: você vai odiá-la do mesmo jeito.

Digamos que ela seja mais bonita. O cabelo é mais bonito. O corpo é mais bonito. E ainda por cima o nome dela é Paula e você é Ludislene Gorete. Enfim, o cara te trocou por uma gataça. "Que deve ser burríssima. Que deve ter mau hálito. Que deve ser sofrível na cama. E ele, francamente, tem titica de galinha na cabeça. Coisa mais fora de moda dar valor para a aparência. Está se achando o rei da cocada preta com essa zinha com quem anda desfilando. E que deve corneá-lo, ninguém duvide. É muita areia pro Corsa dele. Essa aí em dois toques vai estar trocando ele por um Audi, aí ele vai descobrir que ela não vale a folha de alface que come, essa anoréxica."

Então digamos que ela seja mais feia. O cabelo mais opaco. O corpo só tem frente, não tem verso. Ligeiramente manca. "Putz, deve ser um avião na cama. Deve recitar Baudelaire de cor e salteado. E deve adorar aipo, que ele também venera. Mas se já é sem sal agora, vai embagulhar totalmente quando engravidar. Vai engordar para todo o sempre, nunca mais se recupera. Vão ficar os dois discutindo Jorge Luis Borges e se entupindo de panqueca de banana. Vão viajar para lugares exóticos para combinar com o rosto dela. Caramba, por que ele nunca me disse que gostava de mulher inteligente? Eu poderia ter lido toda a obra de Tolstói em vez de perder tempo malhando."

Se for mais bonita ou se for mais feia, pouco importa. Não é você, e é isso que dói.

Março de 2000

Os virgens

Sou virgem e meu signo é Leão. Sou casada e sou virgem, tenho filhos e sou virgem. Tão virgem quanto você.

Quando falamos em virgindade, logo pensamos em sexo, e a partir do dia que o experimentamos, o mundo parece perder seu mistério maior. Não somos mais virgens! Que grande ilusão de maturidade.

Virgindade é um conceito um tanto mais elástico. Somos virgens antes de voltar sozinhos do colégio pela primeira vez. Somos virgens antes do primeiro gole de vinho. Somos virgens antes de ver Paris. Somos virgens antes do primeiro salário. E podemos já estar transando há anos e permanecermos virgens diante de um novo amor.

Por mais que já tenhamos amado e odiado, por mais que tenhamos sido rejeitados, descartados, seduzidos, conquistados, não há experiência amorosa que se repita, pois são variadas as nossas paixões e diferentes as nossas etapas, e tudo isso nos torna novatos.

As dores, também elas, nos pegam despreparados. A dor de perder um amigo não é a mesma de perder um carro num assalto, que por sua vez não é a mesma de perder a oportunidade de se declarar para alguém, que por outro lado difere da dor de perder o emprego. Somos sempre surpreendidos pelo que ainda não foi vivido.

Mesmo no sexo, somos virgens diante de um novo cheiro, de um novo beijo, de um fetiche ainda não realizado. Se ainda não usamos uma lingerie vermelha, se ainda não fizemos amor dentro do mar, se ainda cultivamos alguns tabus, que espécie de sabe-tudo somos nós?

Eu ainda sou virgem da neve, que já vi estática em cima das montanhas, mas nunca vi cair. Sou virgem do Canadá, da Turquia, da Polinésia. Sou virgem de helicóptero, Jack Daniels, revólver, análise, transa em elevador, LSD, Harley Davidson, cirurgia, rafting, show do Lenny Kravitz, siso e passeata. A virgindade existencial nos acompanha até o fim dos nossos dias, especialmente no último, pois somos todos castos frente à morte, nossa derradeira experiência inédita. Enquanto ela não chega, é bom aproveitar cada minuto dessa nossa inocência frente ao desconhecido, pois é uma aventura tão excitante quanto o sexo e não tem idade pra acontecer.

Abril de 2000

Rótulos e preconceitos

Um estudo realizado numa universidade da Califórnia acaba de descobrir que o tamanho do dedo indicador da mão direita do homem pode determinar se ele é gay ou não. Se o dedo indicador for igual ou maior que o dedo anular, o cara é homossexual. É e acabou. Não tem choro. Os enrustidos vão ter que assumir ou usar luvas para sempre.

Eu sei que o mundo não progride sem pesquisa, mas às vezes esse pessoal viaja na maionese. Outro dia saiu o resultado de uma pesquisa que atestava que os carecas são campeões em câncer de próstata. É um festival quase diário de descobertas que não servem pra nada: mulheres que comem muito arroz de açafrão tendem a ter parto normal, crianças de olhos verdes costumam ter medo de andar de balanço, homens de bigode não gostam dos filmes do Sidney Poitier, advogados com mais de trinta anos preferem os yorkshires, quem come três folhas de alface por dia tem mais resistência nas unhas. Tudo inventado agora, mas garanto que você acreditaria se fosse alguma universidade americana que estivesse assinando este artigo.

Simplificações são tentadoras neste mundo onde tudo é bem mais complexo do que parece. É quase um insulto quando encontramos uma morena burra, um português inteligente, um poeta rico, uma celebridade deprimida, um político honesto, um adolescente bem resolvido. Preferimos conviver com estereótipos porque eles facilitam a vida da gente: generaliza-se e fim. Menos uma coisa pra pensar.

Generalizar é vício de meio mundo, incluindo aqueles que escrevem. É como se a gente fosse uma espécie de clínico geral da sociedade: entendemos um pouco de tudo mas não somos especialistas em nada, o que sempre gera algumas injustiças, pra não falar em algo ainda mais perigoso, o preconceito. É por causa desses rótulos preestabelecidos que os negros são considerados mais suspeitos que os brancos, os roqueiros menos confiáveis que os jazzistas, os paulistas mais trabalhadores que os cariocas, as mulheres menos competentes que os homens. Às vezes é verdade, às vezes é mentira: só analisando caso a caso é que se descobre.

Estatísticas existem para duas coisas: para indicarem uma tendência de comportamento e para serem questionadas. Um homem pode achar o Paulo Zulu bonito, usar cor-de-rosa e ter o dedo indicador maior que o dedo anular e ainda assim ser muito macho, assim como uma mulher pode achar o Paulo Zulu horroroso e nem por isso ser sapatona. Só é louca.

Abril de 2000

Paz e amor

O mundo tem várias coisas boas, mas como elas se escondem bem. O que a gente tem visto aqui fora não é mole. Em se tratando de Brasil, é desanimador ver que nossos políticos seguem envolvidos com falcatruas e que isso não vai mudar, como bem escreveu Roberto Pompeo de Toledo em mais um brilhante ensaio na revista *Veja*. Se nada mudou depois de Collor e PC Farias, nada indica que vá mudar depois de Pitta e Paulo Maluf. A corrupção está no sangue da política brasileira. Vem de berço. Poucas pessoas de bem se candidatam, e as que se elegem muitas vezes são engolidas por este esquema viciado. O país segue sem educação, sem saúde, sem segurança pública, sem futuro. Até quando? Até sempre.

Em televisão, mede-se o talento de uma pessoa pelo tesão que provoca. Em música, elegem-se ídolos de curta duração, cujo repertório se encaixe numa trilha de novela. Quanto mais grana ganhamos, mais parece insuficiente. Relações afetivas andam tão descartáveis quanto copos de plástico. Amigos quase não têm tempo para se encontrar. A competitividade estressa, o trânsito empaca, o ar está poluído, a grosseria é generalizada. Talvez a única a estar no caminho certo seja a moda: veio em boa hora esta onda riponga, só que não deveria limitar-se ao visual. Uma cabecinha retrô também cairia bem nesse Manicômio dos Normais, que é como o beatnik Carl Solomon batizou o mundo certa vez.

Paz e amor. Flores na cabeça, nossos pés descalços. Almofadas no chão, velas, incenso, o livro do Nelsinho Motta, música de verdade. Fazer amor no chão, no sofá, dane-se se derramar vinho no tecido italiano. O personagem de Kevin Spacey em *Beleza americana* nada mais era do que um bicho-grilo ressuscitado. Pode crer.

Paz e amor. Sair por aí dando bitoquinha nos amigos, tomar chá de cogumelo, participar de luaus na beira da praia, ter uma horta no quintal, virar macrobiótico, ler mais poesia, viajar de carona. Paz e amor. Falar baixo, viver em comunidade, tocar um instrumento, criar os filhos soltos, fazer ioga, ouvir Led Zepellin, transar sem camisinha.

Passou, passou. Foi um rápido surto, estou de volta. Reintegrada e, por que não dizer, refém conformada deste mundo de academias de musculação, relógios, hambúrgueres, capas da *Playboy*, colunas sociais, flores de plástico, flanelinhas, corredores de ônibus, manuais de autoajuda, pardais, betoneiras, grades na janela, check-ups, telejornal, muito pouca paz, amor quase nenhum.

Abril de 2000

Bares e casamentos

Em Londres um pub está fazendo sucesso porque instalou para seus clientes uma cabine telefônica com uma sonorização peculiar: enquanto a pessoa fala no telefone, pode acessar o som de uma tranqueira no trânsito, com muito buzinaço. Ou pode acessar o som de um ambiente de escritório. Toda essa parafernália é para que quem esteja do outro lado da linha não identifique o som do bar. Assim o bebum pode dar uma desculpa esfarrapada e chegar em casa sem levar uma descompostura; afinal, estava trabalhando até tarde, o coitado, e ainda por cima ficou preso num engarrafamento depois.

Essa cabine telefônica com efeitos especiais só vem demonstrar que os bares andam muito moderninhos, mas os casamentos continuam parados no tempo, mesmo na vanguardista Inglaterra. "Só vou se você for" segue na moda. Enquanto isso a hipocrisia deita e rola.

Muitas pessoas ainda têm uma ideia convencional do casamento: encaminham-se para o altar como quem se encaminha para o supermercado em busca de um produto pronto, industrializado, com um rótulo dando as instruções de como utilizá-lo, e parece que a primeira instrução é: nenhum dos dois têm o direito de se divertir sozinho ou com os amigos, a menos que o cônjuge esteja junto. Não é de estranhar que os prazos de validade do amor andem cada vez mais curtos.

Não há paixão que resista ao grude. Não há paciência que resista à patrulha. Não há grande amor que prescinda de outras amizades. Sair sozinho para beber com os amigos deveria ser um dos dez mandamentos para uma união estável, valendo para ambos os sexos. Quem não gosta de bar pode substituir por futebol, cinema, restaurantes, shows, sinuca, saraus ou o que o Caderno de Cultura sugerir. E não perca tempo apiedando-se daquele que vai ficar em casa. Provavelmente ele vai se divertir tanto quanto. Ouvir música, ver televisão, ler livros, abrir um vinho, tomar um banho de duas horas, navegar na internet, dormir cedinho, tudo isso também é um programaço. Quem não sabe ficar sozinho não pode casar, sob pena de transformar o matrimônio num presídio para dois.

Tem muita coisa em Londres que eu gostaria de ter aqui: parques mais bem-cuidados, mais livrarias, mais respeito à individualidade, melhor transporte público, prédios mais charmosos. Só dispensaria o clima e esse pub pra lá de vitoriano, onde pessoas adultas são incentivadas a inventar um álibi para justificar um atraso. Atraso é ter que mentir para que o outro não perceba que você está feliz.

Abril de 2000

O circo do futuro

A importância do circo na cultura brasileira não é nada desprezível. Para nós, seres urbanos que temos acesso à tevê por assinatura, internet e espetáculos diversos, o circo é apenas uma opção de lazer nostálgica e pitoresca, mas em localidades onde não há cinema, teatro, às vezes nem luz elétrica, o circo é a única forma de diversão. Ele realiza as fantasias de crianças que não sabem o que é um videogame, nunca entraram num shopping, nem o mar conhecem. O circo é o Pokemón da vida delas, no que elas têm sorte.

Concluído este primeiro parágrafo politicamente correto, devo agora confessar que nunca, nem na inocência dos meus poucos anos, gostei de circo. Mas me deixava levar. Através de uma trilha de serragem, entrava debaixo daquela lona abafada e sentava naquelas arquibancadas tão seguras quanto o Palace 2. No picadeiro, poodles que subiam e desciam escadas. Tigres velhacos que atravessavam aros pegando fogo. Elefantes sonolentos que subiam num banquinho e eram obrigados a dançar uma rumba. Cavalos que rodopiavam, rodopiavam, rodopiavam e não ficavam tontos. E macacos, dezenas deles, coçando a cabeça e usando saiotes de tule. Grotesco. Eu só aguentava por causa da pipoca.

Já acho humilhante para o cachorro quando

alguém diz "senta, Rex", imagina o que eu penso de um camelo amestrado. Lugar de bicho é no seu habitat natural ou no zoológico, desde que instalado em condições similares às de sua terra natal. Se o animal estiver extinto, não me importo de vê-lo num museu, empalhado. E se for um pitbull, não me importo de vê-lo na rua, atropelado.

Lugar de animal doméstico é em casa, e os que não têm dono devem ficar na sua toca, na sua gruta, na sua árvore, na sua África. Circo não é ambiente pra eles, onde são obrigados a performances patéticas em troca de um amendoim. Há uma nova modalidade de circo se impondo, como o Cirque du Soleil e o Circo Imperial da China. São circos onde também há malabarismo e mágica, onde há música e encantamento, mas tudo feito com arte e com gente. Precisamos de mais escolas que formem profissionais deste gabarito, para que este tipo de circo se popularize e possa ser montado em qualquer terreno baldio, a preço acessível. Foi-se o tempo em que era inusitado ver um urso andar de patinete e uma foca bater palmas: hoje nem o palhaço acha mais graça.

Abril de 2000

Antes do dia partir

Paulo Mendes Campos, em uma de suas crônicas reunidas no livro *O amor acaba*, diz que devemos nos empenhar em não deixar o dia partir inutilmente. Eu tenho, há anos, isso como lema.

É pieguice, mas antes de dormir, quando o dia que passou está dando o prefixo e saindo do ar, eu penso: o que valeu a pena hoje? Sempre tem alguma coisa. Uma proposta de trabalho. Um telefonema. Um filme. Um corte de cabelo que deu certo. Até uma briga pode ter sido útil, caso tenha iluminado o que andava ermo dentro da gente.

Já para algumas pessoas, ganhar o dia é ganhar mesmo: ganhar um aumento, ganhar na loteria, ganhar um pedido de casamento, ganhar uma licitação, ganhar uma partida. Mas para quem valoriza apenas as megavitórias, sobram centenas de outros dias em que, aparentemente, nada acontece, e geralmente são essas pessoas que vivem dizendo que a vida não é boa, e seguem cultivando sua angústia existencial com carinho e uísque, mesmo já tendo seu superapartamento, sua bela esposa, seu carro do ano e um salário aditivado.

Nas últimas semanas, meus dias foram salvos por detalhes. Uma segunda-feira valeu por um programa de rádio que fez um tributo aos Beatles e que me arrepiou, me transportou para uma época legal da vida, me fez querer dividir aquele momento com pessoas que são importantes pra mim. Na terça, meu dia não foi em vão porque uma pessoa que amo recebeu um diagnóstico positivo de uma doença que poderia ser mais séria. Na quarta, o dia foi ganho porque o aluno de uma escola me pediu para tirar uma foto com ele. Na quinta, uma amiga que eu não via há meses ligou me convidando para almoçar. Na sexta, o dia não partiu inutilmente só por causa de um cachorro-quente. E assim correm os dias, presenteando a gente com uma música, um crepúsculo, um instante especial que acaba compensando 24 horas banais.

Claro que têm dias que não servem pra nada, dias em que ninguém nos surpreende, o trabalho não rende e as horas arrastam-se melancólicas, sem falar naqueles dias em que tudo dá errado: batemos o carro, perdemos um cliente e o encontro da noite é desmarcado. Pois estou pra dizer que até a tristeza pode tornar um dia especial, só que não ficaremos sabendo disso na hora, e sim lá adiante, naquele lugar chamado futuro, onde tudo se justifica. É muita condescendência com o cotidiano, eu sei, mas não deixar o dia de hoje partir inutilmente é o único meio de a gente aguardar com entusiasmo o dia de amanhã.

Abril de 2000

Quase

O cavaleiro Rodrigo Pessoa venceu pelo terceiro ano consecutivo a Copa Mundial de Saltos: não perdeu um único ponto, não cometeu uma única falta. Precisão e frieza costumam ser sua marca registrada. Há pouco tempo li uma declaração sua onde ele dizia que, nas competições de hipismo, "quase" é o mesmo que nada. Quase concordo.

Por décimos de segundo, um atleta não bate o recorde olímpico. Por meio ponto, um estudante não passa no vestibular. Por causa de um sinal fechado, um executivo perde o avião. Por uma indecisão, alguém deixa de viver um grande amor. Foi por pouco.

O cara que não passou no vestibular por meio ponto está tão fora da faculdade quanto aquele que entregou a prova em branco. Se o que conta é apenas o resultado final, então o fato de ter chegado quase lá não consola mesmo, ao contrário, dá uma certa sensação de injustiça. Ter quase conseguido pode ser quase desanimador. Não é totalmente desanimador porque o quase nos ilude, e todos nós precisamos da ilusão da vitória para batalhar de novo, para tentar outra vez. O quase é maquiavélico, mas ajuda a gente a não se resignar.

Sem falar que pode ser um grande aliado contra roubadas homéricas. Conheço um cara que quase embarcou naquele voo da TAM que caiu em São

Paulo. Têm famílias que quase compraram um apartamento no Palace 2. O destino da gente pode ser mudado por um quase, como mostra o filme *Mero acaso*, em que a personagem da atriz Gwyneth Paltrow vive duas situações. Numa ela entra no metrô e, ao chegar mais cedo em casa, pega o marido no flagra com a amante. Na outra situação, ela quase pega o metrô, mas a porta se fecha antes de ela entrar, evitando a possibilidade do flagrante. O quase muda trajetórias de vida.

Por um voto, você quase seria eleito síndico. Por ter deixado o escritório dois minutos antes da hora, você quase foi convocado para dar plantão. Por ter chegado em casa no último toque do telefone, você quase teve que atender uma chamada de telemarketing. Por estar quase sem gasolina, você escapou de dar carona para o seu chefe que mora em Belém Novo. Todos dizem que a felicidade é custosa, mas a gente também pode ser feliz por um triz.

Abril de 2000

Pirâmide de erros

Se você anda ligeiramente desanimado, com uma visão meio ácida da vida, melhor não assistir a *Magnólia*. Vá ver *Bossa Nova*, distraia-se. Agora, se você gosta de remexer em velhas feridas, se acha necessário fazer o inventário dos próprios erros, então ponha *Magnólia* nos seus planos. São três horas de deprê, três horas sentado assistindo a um filme que, quando acaba, dá vontade de continuar sentado mais uns dez minutos, fazendo a digestão.

Magnólia trata sobre arrependimento e perdão. Relações familiares que se deterioram com o tempo, que não correspondem às expectativas, que geram consequências radicais. Como quase nada fica impune nessa vida, mais cedo ou mais tarde chega a hora da verdade, a hora de admitir os tropeços cometidos e de tentar consertá-los, mesmo que o tempo esteja esgotado. É como tentar marcar um gol na prorrogação.

O filme é o retrato desta era individualista, em que as pessoas estão tão autocentradas que não sabem mais o que fazer com o amor que têm dentro, não sabem a quem distribuí-lo, acabam oferecendo-o para o primeiro que cruzar à frente. Uma era em que o que importa é ser um vencedor, ter superpoderes e jamais admitir que se está errado. O ego sustenta a farsa. Cocaína e anfetaminas também.

Julgar os outros é bem mais fácil que julgar a si mesmo. Nosso mea-culpa é adiado até que a morte esteja iminente e não haja mais tempo para novos erros, apenas para um único acerto: pedir perdão. É o momento de ser humilde, de revelar nossas fraquezas e desculpar as dos outros. De convocar a família, e não o padre, para a extrema-unção.

De vez em quando o filme escorrega na simplificação: parece que o que todos precisam saber é se foram traídos um dia. Não dá para acreditar que esta seja a resposta que precisamos para aliviar a aflição de uma vida. As imprudências da raça humana, as verdadeiramente densas, passam longe da cama.

É na infância que inicia o estrago. É lá que vamos nos sentir amados ou rejeitados, carregando os efeitos disso pela vida afora. É bem mais para trás que todos devem olhar se quiserem entender suas atitudes. Adultos são crianças que não tiveram seus medos acalmados, que foram cobradas em excesso, que foram feias, dentuças, gordas ou tímidas demais, que foram molestadas, tratadas com um mimo despropositado ou uma indiferença brutal. Adultos são crianças que tiveram razão e não foram escutadas, que fizeram bobagens e não foram advertidas, que realizaram os sonhos dos outros em detrimento dos seus. Adultos são crianças que precisam ter sua inocência devolvida, nem que seja no último ato.

Maio de 2000

O destino está nas cartas

Sabe corrente? Aqueles mantras que você recebe e te dizem que você vai ser tremendamente infeliz se não enviar uma cópia para não sei quantas pessoas? Pois acabo de receber mais uma. Não sei se rio ou se choro.

As que recebo pela internet eu deleto no ato. Mas esta me chegou pelo correio. Envelope manuscrito, anônimo, letra de senhora. E o mais intrigante é que veio dinheiro junto. Sério, uma moedinha de cinco centavos. Balancei.

Você deve estar achando uma barbaridade uma mulher esclarecida ficar perdendo tempo com essas bobagens. Também acho. Mas o texto que eu li foi bem claro: "Você deve dar esta moeda para um pobre e enviar 24 cópias deste texto para seus amigos, enviando moedas do mesmo valor para cada um deles". Só aí vai uma despesa de R$ 1,20, sem contar os selos. Não vale a pena, a não ser que você seja uma pessoa impressionável. "Carlos Glandi quebrou a corrente e perdeu 20 mil dólares e a esposa. Um oficial americano não passou o texto adiante e no mesmo ano perdeu toda a sua família, em 1949." Vou percebendo que a corrente é internacional e funciona há mais de 50 anos. Tem tradição. "Dom Wsut, das Filipinas, recebeu a correspondência, jogou fora e dias depois morreu. Jean Vobo fez as cópias, mas esqueceu de enviá-las. Foi expulso da empresa. Mas lembrou-se a tempo, enviou as cópias e foi readmitido."

Coisa de gentalha, né? Mas tem graúdo envolvido. "Um governador da Guanabara achou que tudo não passava de idiotice. Dois dias depois foi fulminado por um ataque cardíaco. E um secretário de Educação em Brasília não acreditou numa única linha e dois dias depois foi demitido. Desesperado, resolveu não apenas mandar 24 cópias, mas 1.141, e acabou virando governador do Rio Grande do Sul." Você sabe quem é? Está certo disto? Não quer ajuda das cartas ou dos universitários?

Estou com essa batata quente na mão. Posso imaginar um desocupado inventando essa palhaçada e rindo da minha cara. Mas também posso imaginar meu corpo embaixo de um ônibus na avenida Assis Brasil e o povo em volta: "Viu? É o que dá não ter fé".

Prometo que, caso me renda à chantagem, vou escolher os 24 nomes fazendo uni-duni-tê na frente da lista telefônica. Não vou envolver nenhum conhecido nisso; afinal, a maioria dos meus amigos iria picotear o papel e torrar os cinco centavos com bebidas e mulheres. Não quero me responsabilizar pelo destino deles, basta ter que decidir o meu. Ainda tenho uns dias pra pensar. E vou levar em consideração o fato de a corrente já estar me dando uma mãozinha: antes de recebê-la, eu estava completamente sem assunto pra hoje.

Maio de 2000

O mundo não é maternal

É bom ter mãe quando se é criança, e também é bom quando se é adulto. Quando se é adolescente a gente pensa que viveria melhor sem ela, mas é erro de cálculo. Mãe é bom em qualquer idade. Sem ela, ficamos órfãos de tudo, já que o mundo lá fora não é nem um pouco maternal conosco.

O mundo não se importa se estamos desagasalhados e passando fome. Não liga se virarmos a noite na rua, não dá a mínima se estamos acompanhados por maus elementos. O mundo quer defender o seu, não o nosso.

O mundo quer que a gente fique horas no telefone, torrando dinheiro. Quer que a gente case logo e compre um apartamento que vai nos deixar endividados por vinte anos. O mundo quer que a gente ande na moda, que a gente troque de carro, que a gente tenha boa aparência e estoure o cartão de crédito. Mãe também quer que a gente tenha boa aparência, mas está mais preocupada com o nosso banho, com os nossos dentes e nossos ouvidos, com a nossa limpeza interna: não quer que a gente se drogue, que a gente fume, que a gente beba.

O mundo nos olha superficialmente. Não consegue enxergar através. Não detecta nossa tristeza, nosso queixo que treme, nosso abatimento. O mundo quer que sejamos lindos, sarados e vitoriosos para enfeitar ele próprio, como se fôssemos objetos de decoração do planeta. O mundo não tira nossa febre, não penteia nosso cabelo, não oferece um pedaço de bolo feito em casa.

O mundo quer nosso voto, mas não quer atender nossas necessidades. O mundo, quando não concorda com a gente, nos pune, nos rotula, nos exclui. O mundo não tem doçura, não tem paciência, não para para nos ouvir. O mundo pergunta quantos eletrodomésticos temos em casa e qual é o nosso grau de instrução, mas não sabe nada dos nossos medos de infância, das nossas notas no colégio, de como foi duro arranjar o primeiro emprego. Para o mundo, quem menos corre, voa. Quem não se comunica se trumbica. Quem com ferro fere, com ferro será ferido. O mundo não quer saber de indivíduos, e sim de slogans e estatísticas.

Mãe é de outro mundo. É emocionalmente incorreta: exclusivista, parcial, metida, brigona, insistente, dramática, chega a ser até corruptível se oferecermos em troca alguma atenção. Sofre no lugar da gente, se preocupa com detalhes e tenta adivinhar todas as nossas vontades, enquanto que o mundo propriamente dito exige eficiência máxima, seleciona os mais bem-dotados e cobra caro pelo seu tempo. Mãe é de graça.

Maio de 2000

Os segredos de Fátima

Francisco, Jacinto e Lúcia eram três crianças em 1917, quando Nossa Senhora apareceu e conversou com eles. Eu teria tido um ataque cardíaco fulminante, mas os pastorezinhos portugueses mantiveram a serenidade e ouviram as previsões da santa, que, como toda previsão, carecia de objetividade. Por algum mistério que ainda não me foi revelado, anjos, santos e profetas não formam frases com sujeito, verbo e predicado e muito menos com sentido. Tudo fica no terreno das abstrações. A profecia apresenta-se como um enigma a ser decifrado, de preferência com bastante dificuldade, por aqueles que se dispuserem à interpretá-la. Em vez de falar, com todas as letras, em Segunda Guerra Mundial, fala-se em "visão do inferno", que igualmente serviria como metáfora para o Holocausto ou a chacina no Carandiru. Não encontro razão para avisar três crianças de que um Papa sofreria um atentado no futuro, mas se era preciso, então que fosse dito simplesmente: "O Papa João Paulo II, em 1981, vai levar um tiro, mas vai ficar bom". Só que isso é linguagem de vidente de circo. Avisos celestes requerem uma certa solenidade. "Um bispo de vestes brancas" deixa a coisa mais poética e mais intrigante.

Peço perdão por brincar com o sagrado e já aviso que a ideia de fazer um retiro espiritual para me reencontrar com Deus, o que muitas vezes já me foi sugerido, está fora de cogitação, até porque eu e Deus estamos juntos e bem, tanto que ele me permite que eu o trate por você e mantenha minhas incertezas.

Não acredito em estátuas que choram ou em paralíticos que saem caminhando instantaneamente sem a ajuda nem mesmo de uma aspirina. Em visões e aparições, acreditaria, desde que fossem menos ritualistas. Discos voadores só aparecem no meio de um deserto ou de uma chapada, nunca cruzam o céu sobre o centro da cidade na hora do almoço. E nossos mortos só aparecem sentados em poltronas de couro na biblioteca de um casarão, nunca na salinha de tevê de um apartamento.

Em contrapartida, acredito em coisas que a maioria das pessoas já não acreditam. Acredito que o amor transforma homens e mulheres, acredito na extraordinária e espantosa manifestação da natureza, acredito na boa índole das pessoas, acredito que o pensamento positivo pode nos ajudar a alcançar objetivos terrenos e espirituais, acredito no resultado do trabalho feito com honestidade e responsabilidade, acredito que é possível se comunicar sem palavras, acredito que cada um cria dentro de si a própria religião e traz no peito um Deus que prescinde de intermediários e propaganda. O único milagre é estar vivo. O resto está sujeito à incredulidade ou à devoção, conforme a fé de cada um.

Maio de 2000

Licença paternidade

A presença do pai junto à mãe e ao recém-nascido é salutar pra todo mundo. A licença-paternidade é um direito legítimo e democrático, pois possibilita que mãe e pai compartilhem o encantamento inicial e, depois, negociem entre si quem deve voltar ao trabalho e quem deve ficar em casa, conforme as necessidades do bebê e as exigências de seus respectivos empregos. Isso é ficção científica para os brasileiros, pois aqui a licença-paternidade dura poucos dias, mas é uma realidade em países como a Inglaterra, onde o pai tem o direito de ficar até 13 semanas em casa, não necessariamente consecutivas.

Aí nasce Leo, filho do primeiro-ministro britânico Tony Blair. Durante a gravidez, Cherie, a mãe da criança, divulgou aos tabloides londrinos sua vontade de ver o marido deixar de lado as atribuições profissionais para ficar em casa, como assegura a lei inglesa. Cherie, com essa atitude, deve ter conquistado a simpatia de mulheres do mundo inteiro, mas eu, pessoalmente, acho que botaram algum alucinógeno no chá dela.

Please, Mrs. Blair. É uma delícia ter a companhia do nosso marido num momento tão especial, nos ajudando a trocar fraldas e dar o banho no nenê, mas modernidade tem limite, um limite chamado bom-senso. Tony Blair é um pai como outro qualquer, mas não é um homem como outro qualquer. É um líder político cujas decisões afetam o destino de várias nações, especialmente da Grã-Bretanha. O mundo se movimenta em alta velocidade e não pode esperar para ver o umbiguinho do Leo cair. Pareço cruel e insensível, mas é uma questão meramente objetiva. Já tive nenê em casa. Dá tranquilamente pra segurar a barra sozinha, o que não deve ser o caso de Cherie Blair, que provavelmente tem uma nanny à disposição. O pai pode dar amor à noite e nos finais de semana sem com isso causar um trauma irreversível na criança.

Não sei se o primeiro-casal britânico segue discutindo em público essa questão, mas creio que Cherie cedeu. Temos, logicamente, que lutar por igualdade, por afeto e tudo o mais, mas sem radicalizar. Bebês precisam mais da mãe nos seus primeiros dias de vida. É biológico, é natural. Estando com a mãe, os pequenos não morrem de fome. A família, sim, correrá risco de inanição se alguém não defender o leitinho lá fora.

A maioria dos homens pode e deve se ausentar do serviço para ficar lambendo a cria. É um direito adquirido. Mas se ele tiver um cargo de grande responsabilidade, convém sua mulher não dar chilique. Deixemos o cara cumprir suas obrigações e, assim que der, voltemos nós também para o mercado de trabalho. Não vejo nada de humilhante em a gente dar uma paradinha maior que a deles, mas se assim parece, então pensemos duas vezes antes de engravidar. Ter filho não é missão. É opção.

Maio de 2000

Sexo sem amor

Avançam em velocidade supersônica os lançamentos de e-books, livros disponibilizados pela internet para serem lidos pelo computador. Sem lombada, sem volume, sem cheiro. Virtuais. Já estão disponíveis tanto clássicos da literatura universal até obras inéditas escritas on-line, que podem ser acessadas durante o processo de criação do autor, como é o caso do livro *Anjos de Badaró*, de Mário Prata. Alguma má notícia aí? Nenhuma. São obras com custo muito baixo e que, como qualquer livro, podem ter ótimos ou péssimos conteúdos, serem bem ou mal-escritos, e o prazer que proporcionam ao leitor pode ser o mesmo de qualquer brochura ou livro de capa dura. Só que não existe relação afetiva. É como sexo sem amor.

Eu vou acabar sucumbindo, inevitavelmente. Escritor nenhum pode dar-se ao luxo de recusar a chance de ver seu trabalho baixar no computador de milhões de assinantes por um custo até cinco vezes menor do que um livro impresso. Não há como virar as costas para as fibras óticas. Mas só eu sei o quanto me dói abrir mão do papel.

Revistas, blocos de anotações, agendas, dicionários, cadernos, ainda não troquei nada disso pela informática. Não é um bom momento para enaltecê-los, já que andam querendo dizimar o que resta da floresta Amazônica, mas o papel, para mim, está intimamente ligado ao tato, e isso é a base de qualquer relação.

Eu preciso pegar para gostar. Tocar. Sentir o cheiro. Apertar contra o peito. Eu levo o livro pra cama e quase transo com ele. Quando acordo e o vejo deitado ao meu lado, adormecido sobre a mesinha de cabeceira, fico tentada a sorrir e perguntar se foi bom para ele também. Para mim sempre é ótimo. E ele não exige fidelidade. Espalhados pela casa, acolho milhares de outros livros de diversos tamanhos, uns mais sérios, outros mais divertidos, uns amores para quem eu sempre volto, outros amores de uma noite só. Livros profundos, livros leves, livros retangulares, livros de bolso, uns apenas decorativos, outros essenciais. Todos pulsando. Têm temperatura, têm as marcas da idade, têm dedicatórias e anotações nas margens. São seres vivos.

Leitura é sempre um prazer, mas pelo computador é um prazer menos envolvente. Acessou, leu, gozou e desligou. Sexo sem amor.

Maio de 2000

Quero ser Pedro Almodóvar

Não quero ser John Malkovich. Quero ser Pedro Almodóvar. Sou sua fã desde *Mulheres à beira de um ataque de nervos*, mas nunca consegui explicar o que me seduz em seus filmes. Várias vezes tentei verbalizar o que tanto me atraiu em *Ata-me*, *Carne trêmula* e em *Tudo sobre minha mãe*, mas sempre achei difícil traduzir em palavras o tipo de fascínio que estas obras me provocam. Até que, em vez de assistir a Pedro Almodóvar, resolvi ler Pedro Almodóvar. De repente, entendi a razão deste meu bloqueio.

O livro, chamado *Fogo nas entranhas*, foi escrito por ele em 1981, quando estava encerrando sua carreira de diretor de filmes pornôs. É uma novelinha rápida. Tão rápida quanto absurda. Não faz o menor sentido. Rápida, absurda, sem sentido... Quero me chamar Carmencita se eu não acabo de descrever a vida.

Almodóvar é puro nonsense, e isso é encantador, é um alento nesse mundo onde tudo tem que ser ordenado, catalogado, explicado. Teorizar sobre Almodóvar é um desperdício de tempo. Ele está além dos rótulos de brega ou chique, comédia ou drama, arte ou embromação. Sentimentos não têm estilo definido. São ilógicos por natureza.

Por que não podemos dizer "te amo" para um cara que conhecemos há cinco minutos? Por que não podemos nos tornar a melhor amiga de uma estranha? Qual o problema de combinar verde com roxo? E de transarmos com um delinquente, se ele for a cara do Antônio Banderas?

A gente procura o sentido da vida em tudo: nos livros, na religião, nos índices da Nasdaq. A gente quer entender. A gente quer um porquê. Almodóvar vem e diz: não tem porquê, ou melhor, não tem só um. A vida é uma salada de emoções, piadas, lágrimas, sexo, pileques, encontros em elevadores, desencontros em aeroportos. A vida não é tão arrumadinha como a gente gostaria: é um caleidoscópio. Colorida. Rápida. Absurda. Engraçada. Trágica. Indecente. A vida é latina.

O livro, em si, não é lá grande coisa. Uma bobajada, pra falar a verdade. Mas não é a história que interessa. É o exercício de criação, a movimentação dos personagens, a recusa em estabelecer parâmetros de comportamento. Enquanto lê, você fica liberado pra rir e pra admitir que as coisas podem ter coerência, mesmo prescindindo de uma interpretação. Finalmente compreendi: eu gosto de Pedro Almodóvar por instinto.

Maio de 2000

Todo homem tem duas mães

Todo homem tem uma mãe biológica, que cuida dele, se preocupa, passa a mão na cabecinha e não pode vê-lo cabisbaixo que já quer dar colo. E todo homem tem uma mãe agregada, seja ela a namorada ou a esposa, que cuida dele, se preocupa, passa a mão na cabecinha e não pode vê-lo cabisbaixo que já quer dar colo.

Somos umas mãezonas para nossos homens. Todas nós, para todos eles.

Deve ser o tal instinto maternal. A verdade é que não sabemos amar sem tomar conta.

O cara chega do trabalho cansado. A gente também está morta. Mas algo (o tal instinto maternal) faz com que a gente privilegie o cansaço dele, reservando um lugar legal no sofá, servindo uma cervejinha e enchendo-o de beijinhos no cangote. Yes, eles também fazem isso por nós, mas por instintos outros.

O cara está estourando de dor de cabeça. A nossa também não está lá muito santa. Mas a dor dele parece mais urgente. Algo nos diz (o tal instinto maternal, de novo) que ele não sabe em que gaveta está o analgésico e que provavelmente ele vai deixar a porta da geladeira aberta quando for pegar um copo d'água. "Fica aí que eu busco."

O cara está se vestindo para sair para o trabalho. Glória Kalil e Costanza Pascolato teriam uma parada cardíaca se vissem o modelito: um casaco que já deveria ter sido doado para a Campanha do Agasalho e uma calça que em priscas eras foi marrom. Você então presta uma assessoria básica. Escolhe outra calça, descola uma camisa jeans. Sugere a cor das meias. Diz para ele trocar o tênis por um mocassim. Agora pode ir, filhinho, mas antes não esqueça de escovar os dentes e de levantar a tábua pra fazer xixi.

A gente acha que ele gasta demais. A gente quer que ele nos ligue com mais frequência. A gente quer que ele adore a nossa comida. E, claro, a gente não quer que ele coma nada na rua. Nem ninguém.

Homens e seus instintos animais. Mulheres e seus instintos maternais. Feitos um para o outro.

Maio de 2000

Match point

Eu já escrevi mais de uma vez sobre o quanto admiro Gustavo Kuerten, não só por ser um campeão nas quadras, mas principalmente pelo seu comportamento. É um cara que valoriza a família, que não dramatiza suas derrotas nem se deixa inflar pelas vitórias, enfim, um garoto que, em vez de ser um deslumbrado, sabe exatamente o que é importante na vida e o que não é.

Mesmo assim, esse último torneio de Roland Garros não foi um déjà-vu. Desta vez fiquei muito impressionada com a capacidade que os maiores tenistas do mundo têm de correr atrás do prejuízo e de reverter desvantagens. Na semifinal, o espanhol Juan Carlos Ferrero jogou diabolicamente bem contra Guga. Ficou a poucos pontos de vencer a partida, tanto que saí de casa para levar minhas filhas ao colégio já não me importando de perder os momentos finais do duelo, que, tudo indicava, seria comemorado dali a instantes com um olé hispânico. Ao voltar pra casa, quinze minutos depois, Guga tinha virado o jogo e prometia ser o finalista, o que acabou cumprindo.

Na final de domingo passado, foi a vez do sueco Magnus Norman mostrar ao mundo de que barro é feita essa turma da raquete: perdeu de voleio nos dois primeiros sets, recuperou-se no terceiro, e o quarto foi aquele show. Mais de uma dezena de match points e o cara defendendo-se com raça num jogo que ficou pendurado por um ponto durante um tempo que desafiaria a resistência de qualquer esportista. Foi vice com muita dignidade.

Nós não somos campeões em nada, mas disputamos diariamente uma vaga de emprego, uma vaga no coração de alguém, uma vaga no ranking dos profissionais bem-sucedidos, uma vaga no concurso público, uma vaga na faculdade, até mesmo uma vaga para estacionar, e muitas vezes nos comportamos covardemente diante da derrota iminente. Entregamos o jogo. Desistir é o nome do esporte.

Algumas pessoas acham humilhante correr atrás quando as chances de haver uma virada a seu favor são ínfimas. Entre perder com garra e perder sem gastar suor à toa, preferem a segunda opção, indo pra casa mais cedo, a tempo de assistir ao final da novela.

A vida dá uma canseira na gente. Não temos inimigos, mas são muitos os nossos adversários: o tempo, a idade, a concorrência, as regras rígidas e um juiz que nem sempre vai com a nossa cara. Não se pode ter tudo, não se pode vencer sempre, é o que nos dizem. Mas isso só deve servir de consolo depois que a partida termina. Enquanto estiver em andamento, pode-se até levar uma surra, mas fica proibido perder pra si mesmo.

Junho de 2000

Mundo interior

A casa da gente é uma metáfora da nossa vida, é a representação exata e fiel do nosso mundo interior. Li esta frase outro dia e achei perfeito. Poucas coisas traduzem tão bem nosso jeito de ser como nosso jeito de morar. Isso não se aplica, logicamente, aos inquilinos da rua, que têm como teto um viaduto, ainda que eu não duvide que até eles sejam capazes de ter seus códigos secretos de instalação.

No entanto, estamos falando de quem pode ter um endereço digno, seja seu ou de aluguel. Pode ser um daqueles apartamentos amplos, com o pé-direito alto e preço mais alto ainda, ou um quarto e sala tão compacto quanto seu salário: na verdade, isso determina apenas seu poder aquisitivo, não revela seu mundo interior, que se manifesta por meio de outros valores.

Da porta da rua pra dentro, pouco importa a quantidade de metros quadrados e, sim, a maneira como você os ocupa. Se é uma casa colorida ou monocromática. Se tem objetos adquiridos com afeto ou se foi tudo escolhido por um decorador profissional. Se há fotos das pessoas que amamos espalhadas por porta-retratos ou se há paredes nuas.

Tudo pode ser revelador: se deixamos a comida estragar na geladeira, se temos a mania de deixar as janelas sempre fechadas, se há muitas coisas por consertar. Isso também é estilo de vida.

Luz direta ou indireta? Tudo combinadinho ou uma esquizofrenia saudável na junção das coisas? Tudo de grife ou tudo de brique?

É um jogo lúdico tentar descobrir o quanto há de granito e o quanto há de madeira na nossa personalidade. Qual o grau de importância das plantas no nosso habitat, que nota daríamos para o quesito vista panorâmica? Quadros tortos nos enervam? Tapetes rotos nos comovem?

Há casas em que tudo o que é aparente está em ordem, mas reina a confusão dentro dos armários. Há casas tão limpas, tão lindas, tão perfeitas que parecem cenários: faz falta um cheiro de comida e um som vindo lá do quarto. Há casas escuras. Há casas feias por fora e bonitas por dentro. Há casas pequenas onde cabem toda a família e os amigos, há casas com lareira que se mantêm frias, há casas prontas para receber visitas e impróprias para receber a vida. Há casas com escadas, casas com desníveis, casas divertidamente irregulares.

Pode parecer apenas o lugar onde a gente dorme, come e vê televisão, mas nossa casa é muito mais que isso. É a nossa caverna, o nosso castelo, o esconderijo secreto onde coabitamos com nossos defeitos e virtudes.

Junho de 2000

Tempo pra gastar devagar

Uma das matérias que mais me deu prazer de ler recentemente foi a entrevista que o jornalista gaúcho Fernando Eichenberg, conhecido entre nós como Dinho, fez para a última edição da revista República com o urbanista e pensador francês Paul Virilio. Eu não conhecia nada do pensamento deste senhor, mas me senti como se fosse da turma dele, apesar de seus pares o considerarem um apocalíptico. A empatia se deu quando li: "O mundo se tornará um mundo de emergência, um mundo desqualificado em prol de domínios virtuais, domínios de alta velocidade. Precisamos do trajeto, precisamos do percurso".

Minha única discordância é que não acho que o mundo se tornará um mundo de emergência: já se tornou. Não por acaso intitulei meu último livro de *Trem-bala*, referindo-me, na crônica de mesmo nome, a um mundo onde não há mais paciência para closes.

Paul Virilio alerta que a reflexão será substituída pelo reflexo condicionado, que as sondagens substituirão as eleições. Já vivemos quase assim. Somos atropelados por conclusões e veredictos que nos chegam antes mesmo de termos tido tempo para refletir sobre o que está acontecendo. As pessoas apaixonam-se e separam-se no intervalo de um disparo no coração. Amizades de infância são construídas com a troca de meia dúzia de e-mails. O que se perde no caminho? O próprio caminho.

A tecnologia e a ciência encurtaram distâncias que não tinham nada de românticas; só para citar dois exemplos, a cura de doenças graves hoje pode ser descoberta com relativa rapidez e pessoas inférteis ou com mais de quarenta anos podem procriar. A informação supersônica é benéfica pra todo mundo. Resta proteger nossas emoções para que elas não fiquem tontas com este looping universal.

O mundo progride rápido com uma única finalidade: nos dar mais tempo. Mais tempo de vida, mais tempo para o lazer, para o esporte, para o sexo, para o nada. Tempo para parar. Este talvez seja o detalhe que nos escapa. Há um outro tipo de lucro em fechar negócios pela internet, em fazer contatos internacionais pelo celular, em realizar finalmente este sonho do teletransporte. É o lucro de ganhar tempo para gastá-lo devagar, respeitando o ritmo do que a gente sente, que nunca é tão urgente.

Junho de 2000

24 horas non-stop

De manhã: academia. Pela frente, quatrocentos abdominais. Um, dois, três, quatro, cinco, eu não deveria ter dito aquilo para ele, como fui estúpida, o cara passando por um momento delicado e eu vou lá cobrar atenção, dar uma de menininha mimada, eu sou mesmo impulsiva, treze, quatorze, quinze, mas também não sou de ferro, tenho direito às minhas fraquezas, às minhas carências, só eu sei em quem dói mais, dezenove, vinte, 21, acho que nossa relação está indo para o espaço, e talvez seja melhor assim, preciso de um tempo para me conhecer melhor, 28, 29, trinta, eu morro sem aquele desgraçado, é incrível como o amor nos torna reféns, mesmo em relações que racionalmente não se justificam, como pode meu coração ser tão inconsequente, 37, 38, 39, não tem saída, nós dois somos um caso perdido, e como isso machuca, ai, acho que dei um mau jeito.

De tarde: supermercado. Lista de compras. Cebola, couve, pimentão, eu redigi aquele relatório de modo muito displicente, meus problemas afetivos não têm nada a ver com meu trabalho no escritório, acelga, batata-doce, vagem, não é uma atitude profissional da minha parte, preciso separar as coisas, eu queria tanto ser a mulher madura que as pessoas pensam que sou, no fundo me sinto frágil, onde é que estão os limões, moço?, não seria má ideia voltar pra terapia, remexer um pouco em velhas feridas, dar uma acalmada nessa minha angústia existencial, cenoura, maçã, puxa, como o tomate está feio.

À noite: papo com as amigas. Bar. Vocês viram com quem que a Renatinha está saindo?, deveria fazer uma imersão no útero materno, tentar entender por que me sinto tão desprotegida mesmo em situações que não exigem grande preparo, Não acredito que você pagou tudo isso por um jeans!, investigar a fundo essa minha necessidade de fantasiar, de inventar cenas que nem aconteceram e reagir a elas como se tivessem acontecido, Bonito mesmo é o Raí, tudo tem a ver com minha infância, não posso mais mascarar meus traumas, queria tanto dar um tempo para esses questionamentos, Meu sonho de consumo é estudar cinema em Londres, e o teu?, queria poder desligar de mim mesma, relaxar um pouco, Meu sonho de consumo? parar de pensar.

Junho de 2000

Amores interrompidos

O livro que traz as 304 cartas que Simone de Beauvoir escreveu entre 1947 e 1964 para seu amante americano, o escritor Nelson Algren, vale como mais um registro do movimento existencialista na França, mas fiquei desconcertada com a chatice da autora. Que mulherzinha maçante. Enquanto estava apaixonada, Simone de Beauvoir me pareceu sufocante, manipuladora e extremamente indelicada, mas isso é assunto para outra crônica, onde a gente talvez possa discutir a idiotização que a paixão provoca, ou talvez conjeturar sobre cartas de amor: serão mesmo todas ridículas?

No entanto, lá no final do livro, quando a relação do casal se limita apenas a uma amizade distante, Beauvoir recupera o tino e escreve coisas interessantes sobre o amor, em especial na carta em que ela consola o amigo por ter sido chutado por uma namorada. Ela disserta sobre a melhor maneira de se enfrentar um rompimento. Naturalmente, a conclusão é que sempre é preferível viver a história até o seu desfecho natural, ou seja, até o desaparecimento do amor, mas dificilmente isso acontece em sincronia. Entre um casal que se separa, há sempre aquele que acaba sendo vítima de um choque emocional, decorrente da violência que é obrigar-se a matar um sentimento que dentro de si permanece vivo.

Simone de Beauvoir especula que a sensação de perda e a nostalgia do passado costumam durar mais tempo do que a própria relação teria durado. É bastante interessante esta teoria: a de que as dores de cotovelo duram mais do que o próprio amor, caso este houvesse completado seu ciclo.

Ainda citando Simone de Beauvoir, ela diz que a gente se torna mais dependente de um amor quando ele termina do que enquanto ele dura. Eu não tenho muito a acrescentar, e sim a corroborar. Enquanto estamos vivenciando um amor, não teorizamos a respeito. Só a partir da ruptura é que fazemos um inventário dos ganhos e das perdas, e, por estarmos emocionalmente fragilizados, acabamos por superdimensionar nossa solidão involuntária. Do que se conclui que o único remédio para a dor de amor é aceitar que as coisas vêm e se vão, e que isso é que movimenta a vida. O duro é ter que pensar nisso quando o amor ainda parece que só vai.

Julho de 2000

O autógrafo dos anônimos

Escritores assinam seus livros. Pintores assinam suas telas. Artistas de Hollywood deixam marcas das próprias mãos na calçada da fama, em Los Angeles. Assim como jogadores de futebol deixaram recentemente as dos pés na comemoração dos cinquenta anos do Maracanã. Agências de propaganda assinam seus anúncios de jornal e revista. Estilistas famosos repetem sempre algum detalhe em suas coleções, para sinalizar a autoria. Músicos autografam seus discos. Radialistas criam bordões: vai que é tua, Taffarel! Todos querem deixar sua marca.

Então por que o joão-ninguém tem que passar em branco? Não mesmo. Ele também existe. Ele também quer autografar. Como ele não tem calçada da fama, livro impresso ou profissão alguma para personalizar, ele pega um tubo de spray e picha um muro. Para a cidade, com carinho.

Quanto mais cresce a exaltação a personalidades, mais cresce o desprestígio dos cidadãos obscuros. Todo mundo lança disco, desfila, expõe em mostras, ganha prêmio, aparece na televisão, sai na revista, é entrevistado na rua. A impressão que dá é que só eles existem, ou que eles existem mais do que os outros. E os que não praticam nenhum esporte radical? E os que são apenas mais um na folha de pagamento de uma grande empresa? E os que ligam para o Você Decide e dá sempre ocupado?

Há muitas pessoas que estão se sentindo barrados no baile. Deveriam ser os que não têm trabalho, que não são poucos, mas são também aqueles que têm trabalho e família, porém suas vidas não têm janela com vista pra mídia. Se até refém de ônibus sequestrado é convidado a ir no programa do Faustão, que graça pode ter ser refém do anonimato?

Ter filhos sempre foi o autógrafo da humanidade, mas agora depende do filho. É preciso ter um Lucas Jagger ou algo similar. Mas qual o destino das que não transaram com um rolling stone? Ou das que não namoraram o Guga?

A internet tem sido a tábua de salvação daqueles que precisam ser alguém, desde que alguém acessível eletronicamente. Abrem páginas para publicar suas histórias, instalam webcâmeras para divulgarem sua intimidade. Vale tudo para ter sua existência comprovada.

E volto aos pichadores, que autografam diariamente os prédios públicos. É uma imundície e um desperdício de energia, mas é também um registro de presença, assim como pessoas desenham corações em árvores, escrevem em portas de banheiro, rabiscam classes da sala de aula. É uma necessidade de dizer: estou aqui, existo. Poucos percebem que existir para si mesmo já é uma plateia e tanto.

Julho de 2000

Como vencer uma eleição

Já está em andamento mais uma temporada de caça ao nosso voto. Daqui para frente irão se intensificar os anúncios no jornal, os comerciais de tevê, as faixas nas ruas. O que dirão e o que farão os candidatos para nos convencer de que eles são a melhor escolha? Vão aqui umas ideias, de graça:

1. Não beije criancinhas. A maioria delas se assusta ao ser brevemente raptada para o colo de um completo estranho. As mães gostam, é verdade. Para elas você é assim como um artista da Globo, e pode ser que votem mesmo em você por causa desse beijinho desinteressado. Mas os outros milhares de eleitores que não colocaram bebês ao seu alcance, estes sabem que você está fazendo isso só para parecer que é uma pessoa legal. Óbvio que você é uma pessoa legal, mas pode provar isso não se deixando contagiar por atitudes clichês. Desafie seus assessores e seus consultores de marketing. Avise-os: "Este ano eu me recuso a beijar criancinhas". Beije outra coisa.

2. Você vai querer prometer acabar com o desemprego e a violência. Pense bem, criatura. Você prometeu semana passada ir jantar na casa do seu irmão e ele está esperando até agora. Também é uma ideia esgotada. Não prometa saneamento básico para todas as vilas, não prometa cinquenta mil novas vagas no mercado de trabalho, não prometa triplicar

o número de viaturas da Brigada, não prometa céu estrelado no próximo réveillon. Diga que você vai fazer o possível, o que estiver ao seu alcance. Seja modesto. Tenha humildade. Finque os pés no chão. O povo vai cair pra trás, eles nunca viram isso.

3. Você vai ter um jingle, fatalmente. Outra oportunidade de ouro para se diferenciar: encomende uma bossa nova. Ou um blues. Esqueça aquela gritaria, aquelas letras sem novidade, aquela síndrome de cãozinho do lacre azul. Sofistique-se. Faça uma coisa meio Lenine, meio Chico Buarque. Quem sabe uma música cantada pela Adriana Calcanhoto? Não custa convidá-la, milagres acontecem.

4. Carreata. É de dar pena, domingão de sol e você de pé na traseira de uma caminhonete abanando e sorrindo pra gente que nunca viu antes. Não diga que acha divertido. Ninguém no seu juízo normal acharia. Então entre no seu próprio carro, ligue o ar-condicionado e dê uma banda pela cidade, sem muito alarde. Quando passar por um pequeno grupo, dê uma buzinadinha de leve, pisque o olho. Apareça discretamente, sem forçar. Você não é a rainha da Festa da Uva. Poupe-se, economize energia: vá que você seja eleito.

Julho de 2000

O senso da raridade

Não faz 24 horas que li a última página do livro *Longamente*, de Erik Orsenna, e já estou com saudades. É um romance francês que me foi indicado por um amigo e que não resisto a indicar pra você: você que gosta de histórias de amor pouco ortodoxas, você que preza um texto inventivo e extremamente bem-escrito, você que reconhece a dificuldade de se lutar contra as conveniências, você que se adapta meio contra a vontade a um mundo que oferece opções restritas de comportamento, você que gosta tanto de ler quanto de viver.

Foi neste livro que destaquei, entre tantos trechos definitivos, uma frase que estava aplicada ao amor, mas que se aplica, na verdade, a tudo: "A proximidade do fim dá o senso da raridade". No livro, o risco de o amor acabar deu a um dos amantes a súbita noção de quão raro era aquele sentimento e de como seria impossível desfazer-se da relação. É no amor que mais testamos essa verdade: na iminência da separação, nosso músculo cardíaco convoca às pressas todas as emoções dispersadas e recobra seus batimentos, enquanto manda avisos urgentes ao cérebro: não desista, não desista, não desista.

Vale para o amor, vale para a vida. A proximidade do fim é algo que comove. Outro dia vi uma jovem apresentadora de televisão debulhar-se em lágrimas, ao vivo, por estar gravando o último programa pela emissora em que trabalhava, já que havia assinado contrato com outra. Nenhum arrependimento, nenhuma armação de marketing. Era o senso da raridade se manifestando frente às câmeras, a raridade de ter feito amigos, de ter obtido sucesso, de ter passado por algo verdadeiramente bom.

O senso da raridade sempre nos intercepta na proximidade de uma despedida. Costumamos compreender as coisas tarde demais. Passamos muito tempo ausentes de nós mesmos, anestesiados por um ritmo de vida que parece imutável, até que muda. Não é de se estranhar que seja na velhice que o senso de raridade nos arrebate: a raridade de poder caminhar sem amparar-se em ninguém, de poder enxergar o mar sem o embaçamento da vista, de pronunciar a palavra futuro sem constrangimento.

É da raridade de estar vivo que trata o livro *Longamente*. Da duração eterna dos grandes amores, da duração das amizades, da duração de nossas convicções e da nossa esperança, de tudo o que é longo o suficiente para permitir construção e morada, longo o suficiente para ensinar que as advertências da razão sempre serão menos eficientes que o impulso dos instintos.

Julho de 2000

Com vista pra vida

Pergunte para um morador da Rocinha, favela classe A do Rio de Janeiro, se ele trocaria seu barraco fincado lá em cima do morro por um apartamento do mesmo tamanho num bairro periférico qualquer. Se ele for um favelado pragmático, responderá que sim. Se for um favelado romântico, responderá que nem morto abre mão da vista que tem da sua maloca por um pombal de concreto com vista para a parede dos outros.

Eu sou uma favelada romântica. Acho que não trocaria um apartamento com vista panorâmica por uma dessas casas fantásticas em condomínios horizontais. Tudo bem, elas têm jardins, e jardim é sempre um grande colírio, e elas têm piscina, que restauram nossa dignidade num calor de trinta graus, e ainda têm escadas e sótãos, que eu adoro. Está bem, fico com a casa. Mas de alguma janela eu preciso ver o horizonte, ou não fecho negócio.

Me lembro da primeira vez em que fui ao Rio, aos doze anos. O hotel em que me hospedei com a família ficava a uma quadra da praia e a janela do quarto dava para dois prédios enormes. Entre um e outro, havia um vão de uns dez centímetros de largura. Os engenheiros vão tentar me desmentir, mas não há argumento técnico que derrote a memória de uma menina encantada com Copacabana. Eu via dez centímetros de avenida Atlântica. Quando alguém passava pelo calçadão de bicicleta, a roda de trás só surgia quando a roda da frente já havia sumido. Ainda assim, foram estes dez centímetros que transformaram aquele simples dois estrelas num Sheraton.

Não precisa ser praia. Não precisa ser campo. Gosto de paisagens urbanas também. Um skyline geométrico. Telhados de Paris. Ou algo menos imponente. Morei certa vez num apartamento que dava vista para uma ladeira cheia de casas antigas e, em primeiro plano, bem na frente da minha minúscula sacada, havia uma igrejinha de tijolos com um belo jardim a sua volta. Era como se fosse o interior, e o interior também oferece um belo cartão-postal.

Deem-me um apartamento de mil metros quadrados e eu me jogo pela janela se tiver que olhar para o pátio do vizinho ou para um risco de céu lá em cima. O meu risco de mar carioca eu apreciei aos doze anos, idade que nem consigo mais avistar. Hoje dispenso esmolas paisagísticas. Quero céu imenso, quero pôr do sol, quero um pedaço grande do bairro, quero reconhecer uns seis tipos de árvore, quero perder a conta das estrelas, quero gastar minhas retinas. Você deve estar pensando: ou o que ela gosta mesmo é de acampar ou então mora numa cobertura de tirar o fôlego. Acampamento está fora de cogitação: meu romantismo termina onde iniciam os insetos. E moro num terceiro andar que nada tem de megalomaníaco. Meus olhos, sim, é que insistem em ir longe demais.

Julho de 2000

O amor em estado bruto

O que é, o que é? Faz você ter olhos para uma única pessoa, faz você não precisar mais sair sozinho, faz você querer trocar de sobrenome, faz você querer morar sob o mesmo teto. Errou. Não é amor.

Todo mundo se pergunta o que é o amor. Há quem diga que ele nem existe, que é na verdade uma necessidade supérflua criada por um estupendo planejamento de marketing: desde crianças somos condicionados a eleger um príncipe ou princesa e com eles viver até que a morte nos separe. Assim, a sociedade se organiza, a economia prospera e o mundo não foge do controle.

O parágrafo anterior responde ao primeiro. Não é amor querer fundir uma vida com outra. Isto chama-se associação: duas pessoas com metas comuns escolhem viver juntas para executar um projeto único, que quase sempre é o de constituir família. Absolutamente legítimo, e o amor pode estar incluído no pacote. Mas não é isso que define o amor.

Seguramente, o amor existe. Mas por não termos vontade ou capacidade para questionar certas convenções estabelecidas, acreditamos que dar amor a alguém é entregar a esta pessoa nossa própria vida. Não só o nosso eu tangível, mas entregar também nosso tempo, nosso pensamento, nossas fantasias, nossa libido, nossa energia: tudo aquilo que não se pode pegar com as mãos, mas que se pode tentar capturar através da possessão.

O amor em estado bruto, o amor 100% puro, o amor desvinculado das regras sociais é o amor mais absoluto e o que maior felicidade deveria proporcionar. Não proporciona porque exigimos que ele venha com certificado de garantia, atestado de bons antecedentes e comprovante de renda e residência. Queremos um amor ficha limpa para que possamos contratá-lo para um cargo vitalício. Não nos agrada a ideia de um amor solteiro. Tratamos rapidamente de comprometê-lo, não com nosso próprio amor, mas com nossas projeções.

O amor, na sua essência, necessita de apenas três aditivos: correspondência, desejo físico e felicidade. Se alguém retribui seu sentimento, se o sexo é vigoroso e ambos se sentem felizes na companhia um do outro, nada mais deveria importar. Por nada entenda-se: não deveria importar se o outro sente atração por outras pessoas, se o outro gosta de às vezes ficar sozinho, se o outro tem preferências diferentes das suas, se o outro é mais moço ou mais velho, bonito ou feio, se vive em outro país ou no mesmo apartamento e quantas vezes telefona por dia. Tempo, pensamento, fantasia, libido e energia são solteiros e morrerão solteiros, mesmo contra nossa vontade. Não podemos lutar contra a independência das coisas. Alianças de ouro e demais rituais de matrimônio não nos casam. O amor é e sempre será autônomo.

Fácil de escrever, bonito de imaginar, porém

dificilmente realizável. Não é assim que estruturamos a sociedade. Amor se captura, se domestica e se guarda em casa. Quando o perdemos, sofremos. Nem paramos pra pensar na possibilidade de que poderíamos sofrer menos.

Julho de 2000

Elogio à alienação

A maioria das pessoas pega no pé de revistas tipo *Caras* e *Chiques & Famosos*, mas não há quem fique sem dar uma espiadinha. Afinal, este tipo de imprensa é ou não é alienante? É alienante até a raiz do cabelo, se você não lê outra coisa além disso. Mas para quem lê livros, jornais e revistas sérias de informação, *Caras* e *Chiques & Famosos* é entretenimento e dos bons. Sem dúvida que estimula a vaidade excessiva e a futricagem, mas isso não é motivo para tirar ninguém do sério, a não ser que seja para fazer rir. E como a gente precisa se divertir num país povoado de Eduardos Jorges, Cacciolas e Lalaus. Luciana Gimenez, por exemplo, depois que crã no Mick Jagger, não sai das colunas de fofocas e tem feito o que pode para nos arrancar gargalhadas. "Estou indo para Londres porque Lucas está com saudades do pai." Acho muito mais engraçado do que o *Casseta e Planeta*.

Colaborando para manter o riso da plateia, a *IstoÉ Gente*, na última semana de julho, deu capa para Rosane Collor e mais oito páginas no interior da revista – oito! Tudo porque a ex-primeira-dama emagreceu, fez luzes no cabelo e anda declarando que quer disputar um mandato político, ainda não sabe qual e nem por qual estado. Só pode ser piada, se pensarmos que dois meses atrás ela foi condenada a onze anos de prisão por corrupção passiva e peculato. Esta joia de criatura deu a volta por cima e você não soube porque insiste em ler apenas a *Bravo* e a *Exame*, por isso anda mal-humorado desse jeito.

Mas o que promete manter nosso astral lá em cima é a saga de Sasha. Sasha na passarela. Sasha no seu primeiro dia de escola. Em breve: Sasha e seu primeiro boléu no pátio. A primeira cola de Sasha. Como é que acompanharíamos a vida estafante de Sasha sem a imprensa especializada?

O Brasil anda numa sinuca de dar medo, mas nunca esteve tão bem servido de personagens bizarros. Se antes eram as criaturas inventadas por Chico Anysio, Golias ou Tom Cavalcante que nos faziam rir, hoje elas estão perdendo a parada para figuras que desafiam a imaginação de qualquer humorista, como Narcisa Tamborindeguy, Mister M ou Feiticeira, todos sem o menor senso do ridículo e dando o sangue para nos fazer esquecer um pouco da vida real. Se é preciso pão e circo, de circo, ao menos, temos tido fartura. Viva o ópio do povo. Salve a imprensa de festim!

Agosto de 2000

Pais e filhas

Toda mãe quer uma filha mulher para se projetar, para trocar com ela confidências e repartir os segredos da vaidade feminina. Todo pai quer um filho homem para se projetar, para torná-lo parceiro no seu esporte preferido e deixar de herança sua sabedoria e talvez sua profissão. É uma análise não totalmente incorreta, mas bem preguiçosa. Por trás dos estereótipos estão mães e filhos com uma cumplicidade que ultrapassa a diferença dos sexos, e pais e filhas unidos pela atração mútua. Só que mães e filhos sempre vivenciaram a intimidade. Pais e filhas, nem sempre.

Estou invadindo o terreno da psicologia porque li outro dia uma reportagem que tentava decifrar um dos mistérios do universo feminino: como uma mulher gordinha, baixinha, bem normalzinha, pode ter mais sex appeal do que uma lindona com o corpo sarado? Sim, senhores, meteram o pai nesta história.

Confiança em si mesma, autoestima e segurança em relação à própria sexualidade não estão relacionados com altura, peso e medida da cintura. Atraímos os outros não quando tiramos a roupa, mas quando tiramos a membrana que muitas costumam usar para impedir as pessoas de se aproximarem. Acreditamos que esta membrana irá nos proteger de algum possível fiasco amoroso, de alguma possível rejeição.

Vestimos esta membrana, ou a despimos, por vários motivos, e o relacionamento com o pai é um deles.

Para quem nasceu na primeira metade do século XX, a imagem de um pai que toque, que beije, que abrace, que elogie, que penteie os cabelos da filha e a tire pra dançar, tudo isso é pura ficção. Os pais eram distantes e havia muitas coisas que impediam a aproximação física e a sedução metafórica. As garotas não se sentiam "desejadas" pelo primeiro homem de suas vidas, e o segundo, o marido, é que tinha que segurar as consequências.

Hoje pais e filhas exercem seu amor sem reservas. Não existe mais aquela hierarquia paterna que só permitia carinho (breve e discreto) na hora do parabéns a você e no dia que a filha era levada ao altar. Hoje ambos agarram-se pela cintura, enchem-se de beijos e olham-se direto nos olhos, repletos de admiração e de uma amizade infinita. Hoje é o dia destes pais, os pais de hoje. Pais que estão ajudando a colocar no mundo meninas com mais amor-próprio e menos encucadas, e que se tornarão mulheres mais aptas para seduzir através do olhar e da atitude, dependendo menos de artifícios. Mulheres que saberão enfrentar com menos trauma as rejeições e amar muito melhor.

Agosto de 2000

A independência de cada um

Quantos anos a gente leva para se tornar independente? Alguns atravessam a vida sem realizar esta que, para mim, é a conquista mais importante do ser humano. Não importa a idade da pessoa, se é casado ou solteiro, empregado ou patrão: falo da independência de quem se sustenta por dentro, uma independência de atitude.

Antes de mais nada, é preciso ganhar seu próprio dinheiro. Mesmo que você tenha a sorte de somá-lo com o salário do seu cônjuge, ou das pessoas da sua família, é fundamental saber que, aconteça o que acontecer, a sua parte segura a sua fome.

Independência emocional é o segundo passo. Você tem que estar preparado para morar sozinho se assim a vida lhe exigir. Tem que estar preparado para compartilhar um teto com outra pessoa sem cobrar dela adesão total às suas ideias e nem impor as suas. Tem que estar preparado para viver longe de seus pais, seja porque eles foram para outra cidade, seja porque você foi, seja porque todos se foram. Tem que estar preparado para amar sem ser amado, para ser despedido injustamente, para perder um amigo querido, para ver seus ideais sumirem com o tempo. Claro que você vai sofrer. Ser independente não é ser de ferro. É saber sair das situações com uma força inesperada.

Independência é aceitar a si mesmo antes da aprovação alheia. É defender a própria verdade e ter humildade para mudar de opinião caso seja surpreendido por melhores argumentos. Ser independente é preferir ir ao cinema com alguém, mas não perder o filme por falta de companhia. É vibrar quando lhe abrem um champanhe, mas não deixar de comemorar sozinho se a sua alegria basta para o brinde. Ser independente é fazer tudo o que se gosta junto de quem mais se gosta, incluindo a si mesmo.

O Brasil tinha 322 anos de idade quando conquistou sua proclamada independência, que comemora amanhã. Julga-se independente porque deixou de ser colônia ao romper laços com Portugal. Deu seu grito de liberdade há 178 anos. Números grandes, tempo de sobra. No entanto, o Brasil ainda não fica de pé sem se apoiar nos outros e precisa de mesadas para se sustentar. Está sempre devendo. O dinheiro que consegue arrecadar por si próprio, distribui de forma injusta. Deixa que lhe roubem dentro da própria casa. Escolhe mal suas companhias. E não acorda sozinho.

O Brasil precisa despertar, nem que seja de novo no grito. Precisa aproveitar o Sete de Setembro para refletir e não para ficar assistindo a sofríveis paradas militares. Precisamos de outros motivos para nos orgulhar do país, além das parcas vitórias no esporte. Se nisso se resume nosso patriotismo, continuaremos vivendo essa independência duvidosa, em que cada brasileiro, isoladamente, vale muito pouco.

Setembro de 2000

Ironia

Ouvi de Nizan Guanaes, um dos maiores publicitários brasileiros, uma frase que não sei se é mesmo dele, mas é verdadeira à beça: comunicação não é o que a gente diz, e sim o que os outros entendem.

Ou seja, se você disse alguma coisa que o outro não entendeu, ou entendeu errado, a comunicação foi feita igual, só que não saiu como você queria. Isso acontece muito quando se emprega a ironia, coisa que faço eventualmente e que pelo visto faço mal, caso contrário meus leitores não ficariam tão indignados.

Há pouco tempo escrevi uma crônica ligeiramente debochada, onde eu dizia que, depois de assistir ao programa *No Limite*, havia chegado à conclusão de que não sobreviveria cinco minutos na selva, mesmo tendo lido todos os livros que li, e que portanto o futuro não era dos ratos de biblioteca, e sim dos escoteiros. Pra quê.

Meu correio eletrônico sofreu uma avalanche de cartas de leitores. Uma parte deles quase teve uma síncope por eu ter afirmado que escrever e ler eram coisas desnecessárias e tentou, com muita educação e argumentação, me convencer a não desistir da profissão e de seguir incentivando os estudantes a encararem os livros. O outro grupo não quis saber de papo, já saiu me chamando de irresponsável pra fora. Os únicos que adoraram a crônica, adivinhe: foram os escoteiros.

Ironia é dizer exatamente o contrário daquilo que se está pensando ou sentindo, geralmente com uma intenção sarcástica. Ironizar é depreciar com humor, digamos assim. "O que é assaltar um banco, comparado com fundar um banco?" Bertolt Brecht.

Existem mil maneiras de se dizer a mesma coisa. Bertolt Brecht poderia dizer simplesmente que banqueiros são ladrões, ponto. Uma frase simplista, sem graça, sem novidade, até meio grosseira. No entanto, ao usar a ironia o escritor convida o leitor a pensar, fazendo com que ele se sinta coautor daquele pensamento pelo simples fato de ter compreendido seu significado. A ironia enlaça, a ironia perturba, a ironia é zombeteira, e ainda tem o mérito de livrar o escritor de um processo por calúnia e difamação.

A ironia comunica mais do que a verdade nua e crua. Mas só funciona quando os outros entendem.

Setembro de 2000

Breguices

Há uma corrente fortíssima que defende a ideia de que não existe brega e chique, que brega é achar os outros brega. Conversa. Qualquer pessoa saberia fazer uma listinha rápida do que é cafona e do que não é. O problema é que não há consenso sobre isso. Quem terá razão: os que batizam a filha de Jennifer, achando isso o suprassumo da elegância, ou os que batizam o filho de João, acreditando a mesma coisa? Infelizmente, nem todos consideram a simplicidade a coisa mais sofisticada do mundo.

Eu assumo que existem várias atitudes que acho brega: dar três beijinhos, exagerar nos adornos, colecionar bicho de porcelana, franja levantada com laquê, carro rebaixado e centenas de outras coisas, mas como eu já tive aquário em casa, quem sou eu? Só existe uma coisa que sempre pode se salvar do rótulo de brega: música.

Dois parágrafos concluídos e ainda não entrei no assunto: o novo disco da Marisa Monte. Escuto o dia inteiro e talvez por isso consiga imaginar direitinho o Daniel cantando "Amor, I love you" ou o Chitãozinho e Xororó cantando "Por isso não vá embora/por isso não me deixe nunca nunca maaais..." E eu não compraria um disco deles nem sob tortura. Então por que com a Marisa funciona?

Em música, a qualidade está sempre mais associada ao instrumental, à estética e à atitude. Preferimos ouvir Roberto Carlos gravado por Ed Motta, Adriana Calcanhoto ou Titãs do que pelo próprio rei. Aplaudimos de pé o Caetano cantando Peninha, mas Peninha não lotaria um bar cantando Caetano. Num senhor exercício de abstração, consigo ouvir João Gilberto cantando baixinho ao violão: "Bota a mão no joelho, dá uma baixadinha, vai mexendo gostoso, balançando a bundinha". E ficaria um amor.

Brega e chique são conceitos aplicáveis às pessoas e seus propósitos, suas ideias, seu espírito e comportamento. Rosane Collor pode se vestir na butique mais descolada de Nova York que continuará sendo uma caipira, porque chique é postura, tom de voz, jeito de olhar, coisas que não se compram. É um arranjo pessoal, um estilo nato. Com música é a mesma coisa. Beatles tocado pela orquestra do Ray Connif é de chorar no cantinho. E *Feelings* cantado pela Marisa Monte ficaria show de bola.

Esquece. *Feelings* ninguém salva.

Setembro de 2000

Felicidade instantânea

Transbordam nas prateleiras das livrarias os manuais de autoajuda. Como ser mais feliz, como ter sucesso, como pensar positivo, como conquistar um amor, como ter mais qualidade de vida. Vendem feito picolé na praia. Eu só me pergunto uma coisa: adianta?

Se o leitor, depois de ler um destes livros, ficar mesmo mais feliz, mais bem-sucedido, mais amado e mais rico, então me curvo. Mas desconfio que o único bem verdadeiro que estes livros fazem é o de dar ao leitor a impressão de que ele está reagindo diante da própria frustração. Se alguém acha que sua vida, em certo aspecto, não anda legal, o fato de deslocar-se até uma livraria, comprar um destes livros e lê-lo até o fim já configura uma iniciativa, uma atitude favorável a si mesmo. Tenho certeza de que isso ajuda mais do que as palavras de ordem contidas nestas publicações, tipo "reinvente sua relação", "pense se precisa mesmo comprar uma nova torradeira" ou "seja flexível". Se fosse fácil assim, a psicanálise seria extinguida.

A princípio, todo mundo sabe que deve beber muita água, ser otimista, praticar exercícios, seguir a intuição, ter autoestima, não se exigir demais etc. Só que para isso deixar de ser uma intenção para ser um hábito, a descoberta tem que se dar de dentro pra fora, vagarosamente. É preciso mergulhar um pouco mais fundo em busca das próprias necessidades, e este é um aprendizado que se dá através do pensar e do sentir, duas coisas que raríssimos livros de autoajuda estimulam.

Autoajuda, de verdade, são todos os outros livros: romances clássicos, policiais, livros de memórias, literatura erótica, realismo fantástico, poemas, narrações de viagens, biografias, contos folclóricos, ficção científica, crônicas do cotidiano, enfim, tudo que convida à reflexão, tudo que diverte e intriga, faz rir e chorar, tudo que nos auxilia no autorreconhecimento e nos justifica como seres humanos.

"A coisa mais fina do mundo é o sentimento." Você jamais lerá isso num livro de Roberto Shinyashiki, autor do best-seller *O sucesso é ser feliz*; no entanto, quem haverá de dizer que Adélia Prado não é autoajuda? São dela também os seguintes versos: "Não luto mais daquele modo histérico/ entendi que tudo é pó que sobre tudo pousa e recobre/ e a seu modo pacifica", que talvez num manual de autoajuda seria traduzido por "se algo não der certo, não insista, parta para outra". Cada um se ajuda como preferir.

Setembro de 2000

O sexo natural

Sexo, sexo, sexo. É sobre o que a gente mais fala, é o que a gente mais vê na mídia, é o que a gente mais deseja. Sexo, sexo, sexo. Dizem que não pensamos em outra coisa. Concordo, mas estamos pensando errado.

É compreensível que o sexo domine nossa atenção, sendo estupendo do jeito que é. No entanto, há uma distorção na maneira como ele está sendo "vendido" no mercado. Sexo nunca esteve tão associado a fetiche, violência e vulgaridade. As musas são odaliscas, sadomasoquistas ou clones de prostitutas. As revistas femininas insistem em sugerir truques baratos de sedução. As letras das músicas, então, fazem com que todo interessado em sexo pareça um retardado mental. "Vai, popozuda, requebra legal." É o Ciranda, Cirandinha do novo milênio.

Sexo é a melhor coisa do mundo. A segunda melhor coisa também é sexo. E a terceira, quarta e quinta, você sabe, sexo. Sexo é bom como dormir, sexo é bom como um cachorro-quente, sexo é bom como um chope bem gelado, como furar uma onda, receber um presente, rir com os amigos. Sexo é bom como a vida.

Os pais devem tirar as dúvidas que seus filhos têm sobre sexo como quem conversa sobre viagens de trem ou sobre jazz. Jovens devem ter curiosidade sobre sexo como quem tem curiosidade sobre a altura da torre Eiffel ou sobre a temperatura do mar do Caribe. As pessoas devem desejar sexo como desejam ler um poema do Fernando Pessoa ou do Drummond. Sexo, definitivamente, não é sacanagem.

A fixação pelo sexo está fazendo com que a gente perca a naturalidade. Parece que ninguém pode iniciar a vida sexual sem antes ler o contrato: é preciso transar no mínimo três vezes por semana, ter orgasmos múltiplos, a relação deve durar uma média de vinte minutos, exige-se lingerie sexy, tem que usar camisinha, não pode transar no primeiro encontro mas também não pode casar virgem. Agora é só assinar as três vias e reconhecer firma em cartório. Pronto, você já é um especialista.

Excetuando-se a questão da camisinha, que infelizmente é mesmo obrigatória para o sexo seguro, o resto é puro instinto. Todo mundo nasce sabendo o que é sexo e como se faz. É como tomar um gole d'água, como sonhar, como dançar. Sexo é do bem. Sexo é prazer. Se desde sempre tratássemos do assunto sem drama e sem excesso de romantismo, hoje o sexo não precisaria de tanta explicação, de tantas exigências e de tanta propaganda. Nem deixaria tanta gente assustada, com medo de errar.

Setembro de 2000

Sobre duas rodas

Quando a gente chega de viagem, meu caso, as pessoas querem saber as novidades lá de fora. Primeiramente, não existe mais "lá fora": estamos todos dentro do mesmo invólucro, ouvindo as mesmas músicas, vendo os mesmos filmes, usando as mesmas roupas. E as notícias de lá são as mesmas daqui, no que abrange interesses internacionais: a bola da vez é a alta do preço do barril de petróleo, gerando ansiedade quanto a uma possível recessão mundial. Sendo assim, a novidade que trago é velha: salve a bicicleta.

Eu já não uso trancinhas, mas ainda gosto de dar minhas pedaladas, e lamento que tenhamos o hábito de usá-la apenas em passeios em parques e calçadões, como uma concessão aos tempos de infância. A cultura automobilística não nos deixa ver que bicicleta é meio de transporte. Pode ser usada dos oito aos oitenta anos, não gasta combustível, não polui o ar, é moleza de estacionar, fácil de comprar e colabora para termos um melhor condicionamento físico. Por que funciona na Holanda e aqui não?

Múltiplas respostas. As cidades europeias nasceram séculos antes de Henry Ford, e os urbanistas não podiam imaginar nem mesmo que a bicicleta seria inventada, o que dizer de uma Land Rover. As vias são estreitas. Os primeiros prédios, logicamente, foram construídos sem garagem, e não vieram outros prédios, pois a Europa tem esta mania estranha de preservar seu patrimônio, modernizando-se por dentro mas mantendo a fachada de origem, o que faz dela o continente mais lindo do planeta. Além disso, as cidades, quase todas, são planas. Há ciclovias e códigos de trânsito para ciclistas. E o conceito de status social difere um pouco do nosso. Os adolescentes fazem dezoito anos, depois 28, e então 38, e se não tiverem um carro, continuam sendo cidadãos respeitáveis e conseguem inclusive arranjar namorada.

O Brasil, a exemplo de sociedades mais jovens, como os Estados Unidos, cultua o automóvel a ponto de ser prisioneiro dele. Além de termos esquecido como é caminhar, somos impelidos a nos endividar para ter um carro do ano com air bag, banco de couro e design avançado, como se isso fosse dizer quem somos. De certa maneira, diz. Diz que somos vítimas de um comportamento padrão que vê com desconfiança hábitos alternativos e que luta pouco por um transporte público mais seguro e eficiente, o que nos tornaria menos dependentes das quatro rodas e suas trações.

Não me imagino saindo de um hipermercado com nove sacolas penduradas no guidão de uma bicicleta, mas tenho consciência do quanto a gente perde em não fazer pequenos percursos individuais com um transporte menos oneroso para o trânsito, para o bolso e para a saúde. Patinete é modismo, a bicicleta é um clássico. Que volte às ruas. Pode faltar combustível, mas desprendimento tem que continuar sobrando.

Setembro de 2000

Sexo nas alturas

Soube que a nova mania dos jovens casais ingleses é transar numa das cabines da imensa roda-gigante instalada ao lado do Parlamento de Westminster, em Londres, a 135 metros de altitude. Santa vertigem.

Transar em lugares insólitos é um dos grandes fetiches de homens e mulheres. Invariavelmente as revistas masculinas perguntam para seus entrevistados qual foi o lugar mais estranho onde já fizeram amor. Algumas respostas são clássicas. Dentro do mar. No chuveiro. No banco traseiro de um fusca. No banco dianteiro também. No elevador. Na cabine de um trem. No mato.

Depois começam as sofisticações. No provador de uma loja de departamentos. Em cima de uma moto (mas em baixa velocidade). No confessionário de uma capela. Numa cabine telefônica do centro da cidade, às três e meia da tarde de uma quinta-feira. Chovia, se não me engano.

Essas transas parecem quentes, mas servem mesmo é para, dias depois, serem narradas em detalhes numa mesa de bar. Já que em lugares pouco confortáveis a performance acaba comprometida, reserva-se o orgasmo para a hora de contar para os outros. E serão orgasmos múltiplos, caso a empreitada tenha se dado no banheiro de um avião. Só contorcionistas profissionais e mentirosos patológicos podem explicar este fenômeno.

Num banheiro de avião não há espaço suficiente para você e sua escova de dentes, o que dirá para você e outra pessoa. Quando alguém conta as maravilhas de transar no banheiro de um avião, é mais provável que tenha frequentado o banheiro da Gisele Bündchen do que o de um DC10.

Eu sou adepta da boa e tradicional cama. Retangular, de preferência, que as redondas me tiram o senso de direção. Colchão de molas, incontáveis travesseiros, abajur com uma lâmpada de 40 watts, música opcional. Sem espelhos. Sem vídeos pornôs. Sem crianças num raio de 10km. Telefone desligado. Os relógios esquecidos numa gaveta fechada. Tempo de sobra. Privacidade. E depois emendar com o sono, nem levantar. Você já experimentou? É nitroglicerina pura.

Outubro de 2000

A dor dos outros e a nossa

Você está uma geleca. Estendida no sofá, convoca o ombro da sua melhor amiga para chorar todas as suas imensuráveis carências. Precisa ouvir dela algo que lhe anime. Ela bem que tenta: "Pense bem: tem milhões de pessoas sofrendo coisas muito piores do que você". Claro. Todos dizem a mesma coisa. Enquanto você está aí sofrendo de dor de cotovelo, na rua há milhares de sem-teto, sem-emprego, sem futuro. No pódium das dores do mundo, os sem amor não ganham nem medalha de bronze. Estão fora da competição.

Você olha pra sua amiga e pergunta: "Acha mesmo que o fato de um avião cair na Malásia pode diminuir a minha saudade? Se um gerente de banco é mantido como refém eu devo abrir um champanhe por não ser eu que estou com uma arma apontada para minha cabeça?" Se sua amiga for sensata, responderá que sim, isso deveria amenizar nossos problemas mundanos. Mas se ela for sincera, providenciará mais lenço de papel.

Os dramas que acontecem no outro lado da rua nos sensibilizam, mas a contribuição das tragédias alheias para aliviar nossa crise existencial é zero. Crianças são mutiladas em Serra Leoa e você só quer saber do pedaço do peito que lhe arrancaram. Homens e mulheres sobrevivem durante dias embaixo da terra, soterradas por terremotos, e você continua achando que solidão como a sua não há. Pessoas não têm água potável para beber e você afoga sua deprê num bom cabernet sauvignon. Tem gente que perde filho, perde a visão, perde patrimônio, perde a saúde: lamenta-se por eles, mas você perdeu o Beto!!! Vá explicar isso pra alguém.

Razão e emoção são dois planetas que não habitam a mesma galáxia. Você SABE que sua dor é superável, você SABE que amanhã vai encontrar um novo amor, você SABE que é uma felizarda por ter saúde, família, um teto pra morar, mas você não SENTE assim. E o sentimento é poderoso. Comanda-nos. E a gente sucumbe. Feito um avião caindo do céu, feito refém de um assalto do coração.

Outubro de 2000

Crônica do incompreensível

Um dos meus defeitos de adolescente era não gostar de nada que eu não compreendia, a começar por mim mesma. Até que um dia compreendi que compreender não é tudo. Acho que foi quando assisti pela primeira vez a uma peça do Gerald Thomas.

Vou deixar as piadas de lado, pois tenho gente mais ilustre pra citar. O fato é que queremos, todos, compreender. É irritante não entender o final de um filme, e mais ainda o final de um amor. Pior do que dever dinheiro é ficar devendo respostas para as questões que nos formulamos. Exigimos explicações de nós mesmos, na esperança de que isso nos acalme. Como se fosse possível apreender todo o mistério do mundo, como se houvesse palavras suficientes pra denominar todos os sentimentos que nos assaltam.

A sábia Lya Luft, em seu mais recente livro, *Histórias do tempo*, escreve que "o espanto é mais essencial que a compreensão". Ler isto me fez sentir menos louca, pois me assusto todo dia com algumas reações que tenho e que não combinam com meu discurso: não arranjo verbo para encaixá-las no meu *modus vivendi*. Com o tempo, no entanto, começo a perceber que meu lado incompreensível é bastante aceitável. Venho acomodando-me, sem fazer muitas perguntas, no hiato que existe entre o racionalizar e o sentir.

As relações amorosas são as que mais nos fazem sofrer diante da incompreensão. Acreditamos que compreender 100% uma pessoa nos dará uma espécie de alvará de soltura: ou iremos amá-la com mais intensidade, ou não amá-la com menos remorso. Outro escritor gaúcho vem me mostrar o quanto estou enganada. Verso de Fabrício Carpinejar: "Te compreender não me libertou".

A compreensão oferecida pela psicanálise, pela meditação e pela passagem do tempo nos torna mais seguros, mas não anula o assombro, o susto, a taquicardia que também revela tanto. Olho pra trás e vejo aquela menina que queria entender tudo, com medo de que não coubesse tamanha quantidade de informação dentro de si. Coube e ainda cabe. E quanto mais entra, mais sobra espaço para a dúvida. Compreendo hoje que nunca entenderei a morte, os sonhos, a sensação de déjà-vu e as premonições. Nunca entenderei por que temos empatia com uma pessoa e nenhuma com outra. Não entendo como o mar não cansa, nem o sol. Não compreendo a maldade, ainda que a bondade excessiva também me bote medo. Por que os hormônios femininos nos deixam tão vulneráveis e nossa pele combina mais com a de um homem do que com a de outro? Acordo todos os dias às seis da manhã, não importa a hora que tenha ido deitar. Minha alma circula por todo o meu corpo, cada dia está num lugar. E Deus, quem será? Religião, arte, vida: não compreender também pode valer o ingresso.

Outubro de 2000

Jazz e ternura

Como é praxe, o Free Jazz em São Paulo trouxe de tudo, menos jazz. Enquanto isso, semana passada, os porto-alegrenses tiveram a honra da visita de Diane Schuur, uma das poucas divas que seguem interpretando os clássicos deste gênero singular. A apresentação única realizada no Theatro São Pedro foi um presente mais que musical, foi uma lição de comportamento.

Não vou fazer comentários sobre repertório e técnica, pois neste jornal tem gente que entende muito mais do assunto e não quero cometer gafes. Digo o que diz a voz do povo: no momento em que ela cantou *It had to be you*, a plateia acreditou que estava no céu. Imagine se um crítico profissional escreveria essa pieguice. Então não vou adiante. Prefiro falar sobre afinação. Um outro tipo de afinação.

Diane Schuur é cega. Então, obviamente, precisa de olhos emprestados para localizar-se no palco, aproximar-se do piano, beber um copo d'água. Usa os olhos do marido, que volta e meia entra em cena em momentos estratégicos, durante a apresentação, para socorrê-la. Em um destes momentos, ele reposicionou o microfone e fez menção de retirar-se para os bastidores, quando a mão dela segurou a dele: "Wait!". Ele atendeu. Sentou ao seu lado e lhe deu, você vai rir, beijinhos no cangote enquanto ela cantava *The man I love*, *Teach me tonight* e *It might be you*, apaixonadamente.

Assistindo ao espetáculo, me ocorreu uma palavra que quase nunca uso: ternura. Não é uma palavra que combine com o amor de hoje, este amor ligeiro, voluptuoso, carnal, exibicionista. O amor hoje é representado por gente linda e esfomeada, que se come mútua e publicamente, extravasando sua paixão sem limite. Nada contra, acho muito salutar este amor visceral, roqueiro. Mas pertence ao jazz o fogo brando.

Diane Schuur interpretou divinamente as mais lindas canções de amor e tão à vontade estava que acabou fazendo um dueto cênico com the man she loves, e se eu lhe disser que não ficou vulgar, acredite. Ficou bonito. Foi um show para apaixonados por música e por gente. Para aqueles que acham que o amor é uma coisa tão refinada que merece uma trilha sonora um tom acima de Joana, Daniel, Leonardo, esse pessoal sem sobrenome. E não é elitismo, não. O ingresso do show foi caro, mas o disco custa o mesmo que os dos sertanejos. Letras em inglês, nem todos entendem, mas todos percebem uma voz que lamenta uma ausência, uma mão que retira suavemente o cabelo caído sobre o rosto da mulher amada. O show foi isto: uma demonstração sonora e visual de amor. Música de primeira e beijinhos no cangote. Uma ternura tão rara, e tão inadvertidamente resgatada em público, que foi quase obscena.

Outubro de 2000

Recall

De uma hora para outra, esta: montadoras de veículos estão chamando seus clientes de volta para fazer uma revisão nos carros que foram comprados num determinado período, já que foram constatados defeitos originais de fábrica. Chama-se o processo de recall, pra que todo mundo entenda.

Eu também gostaria que me chamassem para um recall, mas não para avaliarem meu carro, e sim a mim mesma. Quem me convocaria? Ora, quem. Deus. O dono da fábrica.

Todos nós saímos da linha de montagem com alguns defeitos, mas ninguém nos avisa disso. À medida que vamos rodando é que as avarias vão surgindo, provocando acidentes que poderiam ser evitados caso Alguém tivesse nos chamado para uma revisão.

– Olha, você tem um problema de superaquecimento. Cada vez que uma pessoa discorda do seu ponto de vista, sua tendência é perder a cabeça e sair agredindo, dizendo coisas que fazem os amigos se afastarem de você. Venha cá, vamos dar uma regulada nesse seu termostato.

– Você: o problema está na aceleração. Já reparou como você é rapidinho? Quer tudo para ontem, não deixa as coisas acontecerem no seu tempo, atropela todo mundo. Encosta ali que já resolvo isso.

— Seu retrovisor interno é muito grande. Como é que eu deixei você ir pra rua assim? Você vive olhando pra trás, tem mania de perseguição, não se livra do passado. Vou diminuir esta sua tentação de ficar vivendo de lembranças para que você ganhe uma área maior de visão frontal.

— Seu caso, vejamos: você derrapa muito. E tem folga na direção. Precisa ser mais objetivo, dizer o que pensa, não ser assim tão escorregadio. Me alcança ali a chave de fenda que eu dou um jeito nisso agorinha.

Seria a glória. Mas creio que Deus anda muito ocupado para se dedicar a consertos. E mesmo que fosse possível, imagine se na fila de chamamento houver algum serial killer na sua frente, o tempo que você terá que esperar até chegar sua vez. Melhor resolver nossas falhas com um manualzinho caseiro mesmo. Claro que não vai dar para ajeitar tudo: temos alguns bons anos de uso e certas peças já não são passíveis de reposição, mas não custa fazer um autobalanceamento de vez em quando, para que a gente não se estrague no meio do caminho.

Outubro de 2000

Icebergs

Outro dia estava relendo o livro *Mulher 40 graus à sombra*, de Maria Lúcia Pereira, Regina Pimentel e Mariana Fontes, quando encontrei uma citação do cartunista Chico Caruso falando sobre casamento: "As pessoas são como icebergs. Você só vê a ponta... você casa com a ponta". É engraçado e é verdadeiro, mas não significa que todo casamento esteja fadado ao naufrágio. A não ser que você seja um navio. Se for apenas um mergulhador, pode se interessar pelo que vai encontrar submerso.

De qualquer maneira, o assunto que me traz aqui não é o casamento e, sim, a metáfora. Somos todos pontas de iceberg. Deixamos à mostra apenas um pedaço do que somos. Atraímos com a parte que está à tona e ameaçamos com nossa parte escondida, imensa e indissolúvel.

Vale para homens e mulheres, vale para políticos e para empresas, vale para países e religiões, vale para quase tudo. É uma contingência da vida. Não há desonestidade no iceberg. Ele não tem culpa de o oceano não evaporar, revelando a montanha de gelo que jaz sob a água. A natureza esconde a parte de baixo da geleira flutuante, assim como a natureza humana também não se expõe integralmente. O invisível está em tudo e em todos.

Um edifício pode ser um iceberg, se suas paredes foram erguidas com areia de praia. Um automóvel pode ser um iceberg, se oculta peças desgastadas e um botijão de gás clandestino. Uma flor é um iceberg, se tem espinhos.

O sol é um iceberg que esconde o perigo dos raios ultravioletas. Um amigo pode ser um iceberg, se omite intenções pouco nobres.

Uma criança é sempre um iceberg, ainda sem noção do que a sustenta.

Padres e freiras são icebergs que reprimem sua sexualidade em nome de um amor maior, mas a sexualidade está ali, irremovível. A paixão é um iceberg que encanta e oferece riscos.

A mentira é a ponta de um iceberg chamado sociedade. A beleza é a ponta de um iceberg chamado saúde. As lágrimas são a ponta de um iceberg chamado sofrimento. O beijo é a ponta de um iceberg chamado sexo.

Icebergs podem surpreender positiva ou negativamente. Só há uma maneira de descobrir: sejamos mergulhadores.

Outubro de 2000

Se eu fosse eu

Clarice Lispector escreveu uma crônica com o título acima para o *Jornal do Brasil*, em 1968, em que ela falava sobre a grandeza de entrar no nosso território desconhecido, e o que ela faria, caso ela fosse ela mesma. Como tudo que Clarice escrevia, é uma ideia perturbadora saber que nosso comportamento é condicionado e que nem sempre fazemos o que o nosso eu manda. Se eu fosse eu... puxa, dá até medo.

Se eu fosse eu, reagiria. Diria exatamente o que eu penso e sinto quando alguém me agride sem perceber. Deixaria minhas lágrimas rolarem livremente, não regularia o tom de voz, nem pensaria duas vezes antes de bronquear, mesmo correndo o risco de cometer uma injustiça, mesmo que mexicanizasse a cena. Reclamaria em vez de perdoar e esquecer, em vez de deixar o tempo passar a fim de que a amizade resista, em vez de sofrer quieta no meu canto.

Se eu fosse eu, não providenciaria almoço nem jantar, comeria quando tivesse fome, dormiria quando tivesse sono, e isso seria lá pelas nove da noite, quando cai minha chave-geral. Acordaria então às cinco, com toda a energia do mundo, para recepcionar o sol com um sorriso mais iluminado que o dele, e caminharia a cidade inteira, até perder o rumo de casa, até encontrar o rumo de dentro.

Se eu fosse eu, riria abertamente do que acho

mais graça: pessoas prepotentes, que pensam saber mais do que os outros, e encorajaria os que pensam que sabem pouco, e sabem tanto. Eu faço isso às vezes, mas não faço sempre, então nem sempre sou eu.

Se eu fosse eu, trocaria todos os meus compromissos profissionais por cinema e livro, livro e cinema. Mas quem os pagaria pra mim? Pensando bem, se eu fosse eu, seria como eu sou: trabalharia, reservando um tempo menor para cinema e livro, livro e cinema, mas pagando-os do meu bolso.

Se eu fosse eu, não evitaria dizer palavrões, não iria em missa de sétimo dia, não fingiria sentir certas emoções que não sinto, nem fingiria não sentir certas raivas que disfarço, certos soluços que engulo. Se eu fosse eu, precisaria ser sozinha.

Se eu fosse eu, agiria como gata no cio, diria muito mais sim.

Se eu fosse eu, falaria muito, muito menos.

E menos mal que sou eu na maior parte do dia e da noite, que sou eu mesma quando escrevo e choro, quando rio e sonho, quando ofendo e peço perdão. Sou eu mesma quando acerto e erro, e faço isso no espaço de poucas horas, mal consigo me acompanhar. E ainda bem que nem sempre sou eu. Se eu fosse indecentemente eu, aquele eu que refuta a Bíblia e a primeira comunhão, aquele eu que não organiza sua trajetória e se deixa levar pela intuição, aquele eu que prescinde de qualquer um, de qualquer sim e não, enlouqueceria, eu.

Outubro de 2000

Últimas palavras

Sempre achei melhor não ter consciência do fim: entre uma doença que me consumisse aos poucos e uma bala perdida, escolheria a última. É claro que a primeira lhe dá a chance de lutar, despertando um sentimento pouco usual hoje em dia, a esperança. Já a bala lhe atravessa no meio de uma frase, durante um pensamento qualquer. Suas últimas palavras correm o risco de ser de uma banalidade constrangedora. Se você está dentro de um táxi, a bala pode lhe atingir bem na hora que o rádio está tocando a música que o padre Marcelo fez com o Chitãozinho, e suas últimas palavras serem: "Moço, a gente precisa mesmo ouvir esse troço?". Ou você pode estar caminhando pela calçada e, segundos antes de a bala alcançar você, um engraçadinho passar de moto em cima de uma poça lamacenta, encharcando sua calça branca. Suas últimas palavras: "Putz".

Já as mortes anunciadas não só permitem como tornam imprescindível um bilhete de despedida. Depois de fazermos tantos planos que não poderão mais se realizar, o tempo que resta serve apenas para um resumo rápido dos nossos sentimentos, a mensagem final. Logo após o acidente com o submarino Kursk, dois tripulantes, no escuro e desenganados, colocaram no papel as condições em que estavam e o que sentiam. Foi o seu legado para a família e para a humanidade, um testamento emocional.

Suicidas quase sempre deixam por escrito explicações e pedidos de desculpas, numa tentativa de absolverem parentes e amigos que por algum motivo venham a se punir, e principalmente para absolverem a si mesmos, numa espécie de extrema-unção particular. Se for uma pessoa pública, as últimas palavras ganham uma importância maior do que o próprio epitáfio, como foi o caso do ex-presidente Getúlio Vargas, que saiu da vida para entrar na história, como ele fez questão de prescrever com sua caneta-tinteiro.

A maior prova desta necessidade de se manifestar diante do fim são as cartas de amor. Ou e-mails de amor. Não há quem tenha levado um fora que não resolva escrever uma mensagem de adeus ao ex, seja para tentar comovê-lo, seja para espinafrá-lo. Toda relação termina por escrito.

Diante de um pelotão de fuzilamento, resta-nos o quê? As últimas palavras. O último ato. O epílogo. É uma grande responsabilidade. Por isso é que eu, que há anos me dedico a encontrar palavras que emocionem, que façam refletir, que façam rir ou que simplesmente levem o leitor até o final do texto, prefiro morrer em silêncio. Ou dizendo algo conclusivo a respeito do meu estado de espírito diante da finitude humana: putz.

Novembro de 2000

O tabu da traição

Noticiaram, mas não sei se é verdade: o ator Michael Douglas terá de pagar uma multa contratual de U$ 5 milhões à atriz Catherine Zeta Jones se ele a trair. Além disso, ela recebeu U$ 20 milhões ao se casar, e receberá mais U$ 1,5 milhão por ano de união conjugal, caso decida se separar. A última cláusula, com algum esforço, consigo entender: se ela pede o divórcio sem ter assinado um contrato pré-nupcial, pode sair do casamento levando até 50% dos bens do marido. Para evitar este rombo na conta bancária, ele prefere parcelar por tempo de serviço.

Uma meleca de vida, mas há quem aspire a esses cifrões todos e nem ache que o vexame público seja tanto assim. Não vou me aprofundar no assunto, pois sei que essa gente vive uma outra realidade, onde amor é palavra em desuso. Mas os U$ 5 milhões pela traição eu não consigo deixar passar. Isso ainda vai virar um filme B.

Michael Douglas sai da garagem em seu conversível prateado quando atropela uma bela jovem de 18 anos, recém-saída do pôster central da *Playboy*. Ai, ai, ai pra lá, ui, ui, ui pra cá, e ele cai na armadilha. Horas depois, a moça liga pra Catherine, sua amiga dos velhos tempos: "Darling, quando precisar de mim de novo, é só chamar. Anota aí o número da conta para você depositar meus 20%".

Tempos modernos, dizem. Mulheres transformam sua gravidez em investimento a longo prazo. Estipulam um preço para manterem-se ao lado do marido. E sentem-se tão desonradas pela infidelidade dele que orçam previamente uma indenização milionária caso ele pule a cerca. Já a infidelidade delas não vira cláusula de contrato, pois são dignas, puras, acima do bem e do mal. Ahã.

Eu achei que estaria viva para assistir a um debate mundial em torno da fidelidade, este tema que mobiliza as sociedades civilizadas. Achei que o assunto um dia viria à tona sem convencionalismos, que homens e mulheres um dia aprenderiam a lidar com esta angustiante questão com mais delicadeza e menos dramaticidade. Achei que um dia veria as fraquezas e grandezas humanas serem abertamente questionadas dentro das relações amorosas. Achei que as pessoas um dia discutiriam de forma adulta sobre as transformações internas pelas quais passam e as complicadas diferenças que existe entre amor e desejo. Mas este dia ainda está tão longe que já não tenho esperança de testemunhá-lo. Terei que me conformar com a hipocrisia mantendo seu reinado, com casamentos ruindo, com relações frágeis e com homens e mulheres pagando pela sua ignorância, eles em espécie, nós em humilhação.

Novembro de 2000

A morte devagar

Morre lentamente quem não troca de ideias, não troca de discurso, evita as próprias contradições.

Morre lentamente quem vira escravo do hábito, repetindo todos os dias o mesmo trajeto e as mesmas compras no supermercado. Quem não troca de marca, não arrisca vestir uma cor nova, não dá papo para quem não conhece.

Morre lentamente quem faz da televisão o seu guru e seu parceiro diário. Muitos não podem comprar um livro ou uma entrada de cinema, mas muitos podem, e ainda assim alienam-se diante de um tubo de imagens que traz informação e entretenimento, mas que não deveria, mesmo com apenas quatorze polegadas, ocupar tanto espaço em uma vida.

Morre lentamente quem evita uma paixão, quem prefere o preto no branco e os pingos nos is a um turbilhão de emoções indomáveis, justamente as que resgatam brilho nos olhos, sorrisos e soluços, coração aos tropeços, sentimentos.

Morre lentamente quem não vira a mesa quando está infeliz no trabalho, quem não arrisca o certo pelo incerto atrás de um sonho, quem não se permite, uma vez na vida, fugir dos conselhos sensatos.

Morre lentamente quem não viaja, quem não lê, quem não ouve música, quem não acha graça de si mesmo.

Morre lentamente quem destrói seu amor-próprio. Pode ser depressão, que é doença séria e requer ajuda profissional. Então fenece a cada dia quem não se deixa ajudar.

Morre lentamente quem não trabalha e quem não estuda, e na maioria das vezes isso não é opção e, sim, destino: então um governo omisso pode matar lentamente uma boa parcela da população.

Morre lentamente quem passa os dias se queixando da má sorte ou da chuva incessante, desistindo de um projeto antes de iniciá-lo, não perguntando sobre um assunto que desconhece e não respondendo quando lhe indagam o que sabe. Morre muita gente lentamente, e esta é a morte mais ingrata e traiçoeira, pois quando ela se aproxima de verdade, aí já estamos muito destreinados para percorrer o pouco tempo restante. Já que não podemos evitar um final repentino, que ao menos evitemos a morte em suaves prestações, lembrando sempre que estar vivo exige um esforço bem maior do que simplesmente respirar.

Novembro de 2000

A arte maior

Dificilmente alguém não gosta de cinema, de música ou de assistir a um espetáculo. Gostam, mas muitos engolem facilmente tudo o que lhes despejam pela goela. Sendo assim, adianta ter este contato insípido com a arte se não há senso crítico?

O que faz com que uma pessoa entenda o que está enxergando e que saiba julgar qualidade é, e sempre será, a leitura. O livro é o combustível que nos conduz às demais manifestações artísticas. Woody Allen disse exatamente isto numa entrevista recente: que a leitura foi o começo da engrenagem que o levou a visitar exposições de arte, ir ao teatro e tudo mais. Aconteceu com ele e acontece com todos. Sem leitura, você até pode ir a museus e recitais, mas o ingresso sempre lhe parecerá muito caro diante do nada que receberá em troca.

Há quem defenda a ideia de que ler livros serve para muito pouco. Até mesmo alguns escritores pensam assim. Oscar Wilde disse certa vez que lia Shakespeare apenas para reconhecer as citações. Há uma forte corrente que acredita que literatura é entretenimento e fim. Eu acredito que literatura é entretenimento também. E a má literatura, nem isso. Mas quando o livro é bem-escrito e bem-pensado, diversão vira educação.

Eu poderia ter o mesmo pai, a mesma mãe, ter frequentado o mesmo colégio e tido os mesmos professores, e seria uma pessoa completamente diferente do que sou se não tivesse lido o que eu li. Foram os livros que me deram consciência da amplitude dos sentimentos. Foram os livros que me justificaram como ser humano. Foram os livros que destruíram um a um meus preconceitos. Foram os livros que me deram vontade de viajar. Foram os livros que me tornaram mais tolerante com as diferenças. Foram os livros que me deram ânsia de investigar mais e profundamente o meu mundo secreto e o de cada pessoa, e isso abriu caminho para eu buscar esse conhecimento também através de Van Gogh e Picasso, de Truffaut e Bertolucci, de Piazzolla e Beatles. E se faço das palavras de Woody Allen as minhas, é porque foi a literatura que me levou até ele também.

A gente circula pela Feira do Livro, vê aquele povaréu de sacolinha na mão e pensa, puxa, como as pessoas leem. São os fiéis da literatura. No entanto, há um número grande de desinteressados que não sente a menor atração pelo que ali se consome. É bem provável que não leiam esta coluna tampouco. Que só leiam o inevitável: os outdoors que encontram na rua, as manchetes que cruzam seus olhos, os textos que a escola ou o trabalho obriga. Cada um escolhe o que lhe é inevitável. Torço pelo dia que seja inevitável a todos saber mais sobre si mesmos, mesmo sabendo que nunca chegarão a saber tudo. Para isso serve a literatura: para incentivar nossa própria perseguição.

Novembro de 2000

Eu te amo

Outro dia estava assistindo a uma apresentação da poeta Elisa Lucinda num sarau em Porto Alegre, onde ela, mais uma vez, hipnotizou a plateia com seu talento vulcânico e seu humor. Num certo momento, ela questionou a razão de os homens terem tanto receio de dizer "eu te amo". Parece que dizer "eu te amo" tem um extenso prazo de validade que dispensa repetições. Elisa fez piada: uma mulher diz para o marido "eu te amo, e você?" Ele responde: "O que é isso, mulher, já não disse no aniversário do teu sobrinho ano passado? Parece que bebe!"

São de Elisa Lucinda os versos: "O euteamo é da dinâmica dos dias/ é do melhoramento do amor/ é do avanço dele/ é verbo de consistência/ é conjugação de alquimia/ é do departamento das coisas eternas". Ou seja: se não nos basta ouvir uma única vez o barulho do mar, se nunca enjoamos do pôr do sol, por que o "eu te amo" teria que ser uma raridade em nossas vidas?

Bem, há uma explicação. Você pode dizer que gosta de uma pessoa, até mesmo que a adora, e isto não configurar um compromisso. Mas amar é outra história. O amor não é um sentimento efêmero, semanal. Não ama-se e desama-se como quem troca de roupa. O amor tem o caráter de permanência. E num mundo de múltiplas possibilidades, de ofertas de amor em cada esquina, de ficção em festas e relacionamentos virtuais, quem vai querer se amarrar pela palavra?

Pena. Porque as pessoas amam. Amam muito. Podem até ficar com outras, mas quase sempre amam verdadeiramente alguém. E não se revelam. Não revelam esse amor para quem o desconhece, e nem mesmo para quem está ali, todos os dias ao seu lado, porque amar parece sinal de fraqueza, olhe só como andam tortas as ideias.

Amar cria raiz, sim. Cria, independentemente de ser verbalizado. Basta sentir o amor para que fiquemos dependentes dele, uma dependência boa, daquilo que nos faz sentir vivos. Dizê-lo em voz alta não nos acorrenta: ao contrário, nos liberta. Dizer "eu te amo" é presente pro amado. Como diz Elisa Lucinda, tudo na vida é novidade: comer, dormir, transar. Tudo é estreia, e amar, logicamente, também é sempre novo e passível de reconhecimento contínuo. Meninos e meninas: digam.

Novembro de 2000

Proteção à vida

É sempre complicado falar de assuntos que envolvem religião, pois ninguém costuma ser muito cerebral nessa hora. A religião pela qual fui orientada, o catolicismo, defende a vida acima de tudo, e eu me pergunto, sem rebeldia, apenas usufruindo da minha capacidade de questionar: se acima de tudo significa acima do sofrimento, não estarão querendo nos pegar para Cristo?

Merece reflexão a aprovação do projeto de lei que legaliza a prática da eutanásia na Holanda, que passa a ser o primeiro país do mundo a autorizar o suicídio assistido de enfermos que sofrem dores insuportáveis e cuja doença é irreversível. Não me parece crueldade, não me parece assassinato: me parece proteção à vida, como a Igreja prega, só que sob outro ponto de vista.

Que vida há para alguém num leito de hospital, com diagnóstico de câncer terminal, sem esperança de reversão de quadro e com sofrimento físico intenso? Importante: sofrimento físico intenso. Não estou falando de alguém resignado diante do destino, que ainda pode ler, conversar com seus familiares e trocar afeto. Estou falando de alguém fora do ar, relacionando-se apenas com a morfina. Se esta vida já não serve a seu proprietário, a quem poderia servir? Que bondade é esta de perpetuar um calvário à espera de um milagre? São perguntas difíceis, mas se rompermos laços com a hipocrisia, admitiremos que a confirmação da morte de alguém que está morrendo um pouco a cada dia, e que sofre desesperadamente, só traz alívio. E economia também, apesar de isto não valer como argumento.

Eu não acho que a Holanda seja o melhor lugar do mundo para se viver (ou morrer), mas admiro sua postura de enfrentamento da verdade. Depois de dez anos de debates (não são decisões irrefletidas), os holandeses regulamentaram a prostituição, tornando-se também o primeiro país do mundo onde as prostitutas vão ter os mesmos direitos e deveres trabalhistas de qualquer cidadão, gerando com isso mais impostos e combatendo a exploração de menores e mulheres estrangeiras. Quanto às drogas, a tolerância já vem de mais tempo: se é boa ou ruim, não sei, só sei que lá não há a criminalidade que existe na Colômbia, na Bolívia e no Brasil, onde traficantes é que governam.

Abaixo da linha do Equador temos outras prioridades: medicamentos que não sejam falsificados, médicos nos plantões, fim de filas, de senhas, de aglomerações em corredores de hospitais. Pessoas idosas ainda morrem de gripe por falta de atendimento, então não precisamos de lei que regulamente a eutanásia, e sim de uma lei que regulamente a saúde. Mas, posto isso, vale refletir sobre o que é que verdadeiramente importa: proteger a vida até sua extinção respiratória ou protegê-la até a extinção de sua dignidade.

Dezembro de 2000

Música x comida

Costumo visitar escolas e outras entidades para trocar ideias com estudantes. Mas já recebi outros tipos de convite: certa vez, foi para um encontro à tarde com algumas senhoras que realizariam um chá beneficente. Topei. Às cinco horas em ponto me apresentaram ao grupo e me passaram o microfone. Ao mesmo tempo, três garçons começaram a colocar os bules e os biscoitos na mesa. Estava dada a largada para um dos maiores embates que já enfrentei.

Eram todas senhoras educadas e distintas. Cinco minutos antes, todas se declararam fãs e queriam muito escutar sobre a minha experiência como cronista. Pois bem. Foi aparecer o primeiro amanteigado sobre a mesa e a minha permanência no recinto foi tão percebida quanto um cisco no assoalho. Eu falava sobre poesia e elas atiravam-se sobre a geleia de framboesa. Eu contava sobre os benefícios de se trabalhar em casa e as xícaras debatiam-se contra os pires. Enquanto eu narrava a minha aflição por, às vezes, ficar sem assunto, todas demonstravam uma aflição ainda maior por ficar sem adoçante. Na saída, ainda perguntei para a organizadora se ela achava que o grupo havia gostado. Ela me respondeu que claro, estava tudo crocante, uma delícia.

Até hoje me apiedo de pessoas que palestram em reuniões-almoço e de músicos que tocam em restaurantes. Comida não tem concorrente. Ou se come ou se presta atenção. Semana passada estive numa festa onde centenas de pessoas tão educadas e distintas quanto aquelas senhoras reuniram-se para uma confraternização. E o melhor de tudo: foi anunciado o show da banda Jazz 6, liderada por Luis Fernando Verissimo. Um luxo. Só que, ao primeiro acorde do sax, liberaram o bufê. Adeus, jazz, adeus educação. Era Cole Porter versus filé ao molho madeira, Gershwin versus musse de salmão, Chet Baker versus arroz à grega. A orquestra de talheres e cálices roubou o espetáculo.

Música até combina com bebida, mas com refeição, o ideal é som eletrônico em volume civilizado ou nada. Comovo-me profundamente quando vejo alguém tocar seu violãozinho e cantar qualquer coisa inaudível enquanto o pessoal avança sobre estrogonofes e fricassês: é o auge do desespero profissional. Nem Frank Sinatra conseguiria o silêncio e a reverência de uma plateia a quem, além de ser servida A Voz, fosse servido também camarão ao curry. Ou se tem música ao vivo ou se tem comida ao vivo. Como dueto, é uma desafinação só.

Dezembro de 2000

Os perigos da paixão

Estava lendo o ótimo livro de crônicas da Hilda Hilst, *Cascos & carícias*, quando me deparei com estas duas frases: "Tens um inimigo? Deseje-lhe uma paixão". Não é uma incongruência. Ao contrário, é muito bem observado. O que nos dilacera? A própria.

Outro ótimo livro, *Um grande garoto*, de Nick Hornby, traz um parágrafo que explica esta fobia.

"Will nunca tivera vontade de se apaixonar. Quando isso acontecera com seus amigos, sempre lhe parecera uma experiência peculiarmente desagradável, com toda aquela perda de sono e de peso, a infelicidade quando a coisa não era correspondida, e a felicidade suspeita e amalucada quando a coisa funcionava. Eram pessoas que não conseguiam se controlar nem se proteger; pessoas que, ainda que apenas temporariamente, já não se satisfaziam em ocupar o próprio espaço; pessoas que já não podiam depender de uma jaqueta nova, uma trouxinha de maconha e uma reprise à tarde dos *Arquivos Rockford* para se sentirem plenas."

Nós não assistimos aos *Arquivos Rockford* (eu, ao menos, não faço ideia do que seja), mas podemos nos sentir plenos ao comprar uma camiseta, ao tomar um chope com a galera, ao sair de bicicleta no final da tarde ou ao saber que o Mark Knopfler vai tocar no Brasil. A trouxinha é facultativa. Então de repente você se apaixona, fica umas duas semanas em estado catatônico e aí surta de vez.

Será que ela gosta de mim tanto quanto eu dela? Será que o fato de ele preferir jogar bola com leões de chácara em vez de ir ao cinema comigo significa alguma coisa? Espero ele ligar? Ligo eu? Será que ela ainda pensa no ex? Será que eu beijo melhor? Ele está me esnobando? Estarei pegando no pé dela? Ele vai gostar da minha mãe? Ela irá rir da minha cueca?

Cruzes.

A paixão turbina o coração, acelera a corrente sanguínea e irriga os olhos, porque a gente chora à beça. Faz perder peso, sim. Não conheço dieta mais eficiente. A paixão cristaliza o tempo: parece que as horas não passam até estar com ele ou ela. Aí estamos com ele ou ela e as horas voam, não é justo. A paixão corrompe nosso juízo, trapaceia a realidade. Ainda assim, melhor uma paixão do que nenhuma. Reprises de seriado de tevê não me fazem desejar ficar bonita e sedutora, mesmo que depois eu borre toda a maquiagem me desaguando porque ele desmarcou o encontro cinco minutos antes da hora. Bem-vinda seja uma paixão comedida. Aos inimigos, as avassaladoras.

Dezembro de 2000

Mentiras consensuais

Existem pessoas felizes e pessoas infelizes, e todas elas se questionam. Umas bebem champanhe e outras água da torneira, e se fazem as mesmas indagações. Se existe uma coisa que nos unifica são as dúvidas que trazemos dentro. São pequenas angústias que se manifestam silenciosamente, angústias que não gritam, ou gritam somatizadas em úlceras, insônias e depressões. Angústias diante das mentiras consensuais.

O que são mentiras consensuais? São aquelas que todo mundo topou passar adiante como se fosse verdade. Aquelas que ouvimos de nossos pais, eles de nossos avós, e que automaticamente passamos para nossos filhos, colaborando assim para o bom andamento do mundo, para uma sanidade comum. O amor, o sentimento mais nobre e vulcânico que há, tornou-se a maior vítima deste consenso.

Mentiras consensuais: o amor não acaba, não se pode amar duas pessoas ao mesmo tempo, quem ama quer filhos, quem ama não sente desejo por outro, amor de uma noite só não é amor, o amor requer vida partilhada, amor entre pessoas do mesmo sexo é antinatural.

Tudo mentira. O amor, como todo sentimento, é livre. É arredio a frases feitas, debocha das regras que tentam lhe impor. Esta meia dúzia de coordenadas instituídas como verdade fazem com que muitas pessoas achem que estejam amando errado, quando estão simplesmente amando. Amando pessoas mais jovens ou mais velhas ou do mesmo sexo ou amando pouco ou amando com exagero, amando um homem casado ou uma mulher bandida ou platonicamente, amando e ganhando, todos eles, a alcunha de insanos, como se pudéssemos controlar o sentimento. O amor é dono dele mesmo, somos apenas seu hospedeiro.

Há outros consensos geradores de angústia: o mito da maternidade, a necessidade de um Deus, a juventude eterna. Sobem e descem de ônibus milhares de passageiros que parecem iguais entre si, porém há entre eles os que não gostam de crianças, os que nunca rezaram, os que estão muito satisfeitos com suas rugas e gorduras, os que não gostam de festas e viagens, os que odeiam futebol, os que viverão até os cem anos fumando, os que conversam telepaticamente com extraterrestres, os ermitões, enfim, os desajustados de um mundo que só oferece um molde.

Todos nós, que estamos quites com as verdades concordadas, guardamos, lá no fundo, algo que nos perturba, que nos convida para o exílio, que revela nossa porção despatriada. É a parte de nós que aceita a existência das mentiras consensuais, entende que é melhor viver de acordo com o estabelecido, mas que, no íntimo, não consegue dizer amém.

Dezembro de 2000

Sugestões de presente

Natal é um estresse, admita. Lojas atrolhadas, um calor do inferno, você gastando o que tem e o que não tem. Por isso resolvi dar uma mãozinha, preparando uma lista de sugestões de presentes que você pode providenciar hoje mesmo a um custo zero.

Para sua irmã: diga uma vez na vida que você acha ela lindíssima. Confesse que foi você que manchou a blusa dela e prometa, em troca, emprestar sua mochila favorita. Faça melhor: arrume o quarto daquela bagunceira.

Para seu primo: perdoe aquela dívida. O cara é um duro. Você também é, mas pode se dar ao luxo de ter um coração mole em datas festivas.

Para seu pai: chame-o para uma conversa, diga a ele o quanto você o ama, o quanto reconhece o esforço que ele fez por você. E vá com ele no Aeroclube ver aquela exposição de aviões de guerra, ele te convida desde que você tem cinco anos de idade.

Para sua mãe: peça desculpas por aquela dramatização barata que você fez no sábado, com direito a histeria e portas batendo, tudo porque ela não te compreende. Aí aceite a sugestão que ela deu para organizar a prateleira do banheiro. E, por último, dê uma carona pra ela até a casa da sua tia e surpreenda-a dizendo: "Vou entrar para dar um beijo no pessoal, estou com saudades de uma reunião familiar".

Para seu marido: pergunte o que ele prefere comer na noite de Natal. Peça para ele sugerir um local para vocês tirarem uns dias de descanso. Deixe ele escolher a lingerie pra você. Ache ótima a ideia de fazer um churrasco para a turma do futebol. Enfim, dê ao amor da sua vida a oportunidade rara de ter suas opiniões aceitas.

Para sua esposa: diga que ela está magra e parece ter dez anos menos. Diga que se você tivesse a chance de voltar no tempo, era com ela que casaria de novo. Enfrente o shopping com ela sem olhar uma única vez para o relógio. E quando passarem por um espelho, repita: "Mas você está magra mesmo".

Para o colega de trabalho, a empregada, o zelador: idem. Incentivo, força, carinho. O melhor presente é demonstrar o que a gente sente.

Dezembro de 2000

Uma odisseia na estrada

Um dos livros mais interessantes que li este ano foi *Os autonautas da cosmopista*, que Julio Cortázar e sua esposa Carol Dunlop publicaram quase duas décadas atrás. É o relato de uma viagem inusitada que o casal fez, de kombi, entre as cidades de Paris e Marselha em 1982. Pela autopista, estas duas cidades estão separadas por cerca de oitocentos quilômetros, uma distância que pode facilmente ser percorrida em dois dias, ou, havendo pressa em chegar, em um único dia.

Mas pressa não era a palavra que definiria esta aventura dos escritores argentinos. O objetivo era justamente não chegar, e sim permanecer na estrada. Descobriram que na autopista havia algo em torno de setenta parkings e áreas de repouso, e resolveram que iriam parar a cada duas delas para pernoitar. Isso significaria que levariam 35 dias nesta expedição.

Dormindo dentro do automóvel, alimentando-se em piqueniques improvisados e escrevendo muito, eles fizeram da estrada o verdadeiro destino da viagem. Registraram tudo o que viram e sentiram: o hábito dos caminhoneiros, as plantas exóticas, as paisagens bucólicas, a poesia e a brutalidade de uma freeway que está sempre em movimento, a serviço da rapidez. Registraram, principalmente, a si mesmos, um ao outro, comovidos pela intimidade vivida num acostamento.

Por que lembrar deste livro justo agora? Porque também estamos iniciando uma viagem. Nossa estrada será a BR 2001, que nos levará deste 2000 em que estamos até o ano de 2002. Ainda dá tempo de a gente planejar este percurso, de estipular nossa prioridade: se é chegar em 2002 sem olhar para os lados, sem dar uma espiada generosa para o trajeto, ou se, ao contrário, iremos fazer todas as paradas, darmos o tempo necessário para apreender os dias, os sentimentos, as revelações que a vida faz e que não são percebidas porque passamos correndo demais por janeiro, fevereiro, março, abril...

Já que ainda não será desta vez que faremos de 2001 uma odisseia no espaço, façamos uma odisseia em terra firme, com espírito aventureiro, com sensibilidade para novas descobertas, um pouco de solidão voluntária e a companhia daquilo que é suficiente para nos sustentar: água, pão, combustível, uns amigos que nos queiram bem e um amor que nos queira para sempre.

Dezembro de 2000

Finitude

Para muitos, a finitude humana pode ser percebida pelas rugas que se multiplicam a cada ano no espelho, pelo vocabulário que soa inadequado ou pelo simples tique-taque do relógio pendurado na parede da cozinha. A finitude humana pode, ainda, ser detectada pelos filhos que crescem e pelos netos que nascem. A mim, a finitude se apresenta todo santo dia numa parada de ônibus, numa ciclovia, no balcão de um posto de informações. Meu carro passa veloz por uma rua e vejo um homem esperando o transporte que o levará de volta pra casa. Um homem qualquer, que eu olho uma única vez e nunca mais tornarei a enxergar. Nunca mais rever é uma pequena morte.

Uma garota passa por mim de bicicleta. Mal tenho tempo de reparar se é morena ou ruiva, se sua mochila é grande ou pequena. Mas foi uma garota percebida pela minha retina, que cruzou minha vista e minha vida por breves segundos, e para nunca mais. Assim como o homem que me atende atrás de um balcão, que fala comigo – fala comigo! –, me sorri e tira minha dúvida, e num instante lhe agradeço e viro as costas, e jamais saberei se ele é um profundo conhecedor da obra de Nietzsche ou um rapaz perturbado pela falta da mãe ou ainda um boçal que nas horas vagas depreda orelhões. Ele existe ou não existe para mim? Não existe.

Finitude eu sinto quando me dou conta da existência de milhões de pessoas que eu jamais irei conhecer, conversar e interagir. De todas as que poderiam me ensinar a ser mais tolerante, de todas as que poderiam me fazer rir, de todas as que eu poderia amar ou desprezar, sofrer por elas, me esforçar por elas, crescer por meio delas. Finitude eu sinto quando cruzo um olhar que não me ficará nem na memória, pois não há tempo para lembranças efêmeras. Uma vez ensinei uma menina, na beira da praia, a reconhecer as letras do seu próprio nome, e já não lembro que nome era este e que menina era aquela. Nem ela de mim sabe nada. Uma cena começa e termina sem continuidade: finitude.

Neste instante enxergo um senhor debruçado sobre uma sacada, olhando o movimento. Ele espia a vida dos outros, que nunca mais reverá. Eu olho para este singelo voyeur, que daqui a instantes também desaparecerá para sempre da minha atenção. No entanto, um ser humano é o que há de mais rico. Uma vida é o que há de mais original. Surgem e nos atropelam tantas vidas, tantas pessoas para sempre inacessíveis, desperdiçadas nos seus talentos, no seu potencial transformador, na sua capacidade de nos emocionar. A esmagadora maioria delas passa e não fica, são flashes do olhar. Agarremo-nos, pois, às que ficam, permanecem, são reconhecíveis pelo nome e pelo trajeto percorrido em nós. Aproveitemos o material humano que dispomos: família e amigos e amores. Escassos, raros e profundamente necessários.

Dezembro de 2000

Era uma vez Papai Noel

Eu acreditei em Papai Noel até os dez anos de idade. Minha filha mais velha acreditou até os seis. A mais moça, que tem quatro, ontem encontrou Papai Noel dirigindo um táxi e me disse: "Coitado, deve estar morrendo de calor, por que ele não tira aquela fantasia?".

Era uma vez um Papai Noel que vivia no Polo Norte, tinha uma fábrica de brinquedos onde empregava vários anõezinhos e, a cada 25 de dezembro, embarcava no seu trenó puxado por renas e passava na casa de todas as crianças (todas: japonesas, belgas, guatemaltecas) e distribuía presentes, entrando na sala pela chaminé. Ho, ho, ho. Que história mais sem pé nem cabeça.

Papai Noel está noutra. Caiu no mundo. Está tendo que se virar. Um deles foi visto com um sorriso de orelha a orelha na capa da *Playboy*, ao lado da Carla Perez. Outro foi algemado na Inglaterra depois de se estranhar com um rapaz: os dois saíram no soco na frente de um monte de criancinhas que, chorando convulsivamente, viram Papai Noel voltar pra casa de camburão. E há esse Papai Noel que dirige um táxi pelas ruas de Porto Alegre. Sem ar-condicionado no carro, ele enfrenta, de barba, gorro e luva, uma temperatura nada siberiana. Tudo pelo espírito natalino e por uma bela gorjeta, que ele também é filho de Deus.

Papai Noel, Bicho-Papão, Coelhinho da Páscoa: não há mais espaço para esta turma no imaginário coletivo. Estão decadentes. Não servem mais nem como garotos-propaganda. Quantos Papais-Noéis você viu na televisão este ano? Nem meia dúzia: a maioria dos comerciais anunciavam preço e condição de pagamento. Estamos impregnados de realidade. A realidade tomou conta. A realidade dita as regras. A realidade existe.

A boa notícia é que a realidade também comporta o sonho. Podemos continuar desejando coisas materiais e espirituais, podemos renovar intenções e fazer planos mesmo sabendo que o bom velhinho é um delírio. Primo existe, amigo existe, namorado existe, filho existe, pai, mãe, avós. Não entram pela chaminé, mas você pode facilitar deixando a porta aberta. Tá legal, ladrão também existe. Feche-a, então, e espere a campainha tocar.

Papai Noel, meu caro, foi bom enquanto durou. Sua mensagem de paz e união continua entre nós, mas sinto lhe dizer: o símbolo do Natal agora são as luzinhas.

Dezembro de 2000

Hedonismo

Eu li em um dos livros do Ruy Castro que, ainda mais legal do que unir o útil ao agradável, é unir o agradável ao agradável.

Uma ideia carioquíssima. A exaltação do desfrute. Há tempos venho ruminando sobre isso. Conheço muitas pessoas que vão ao cinema, a boates e restaurantes e parecem eternamente insatisfeitas. Até que li uma matéria com a escritora Chantal Thomas na revista República e ela elucidou minhas indagações internas com a seguinte frase: "Na sociedade moderna há muito lazer e pouco prazer".

Lazer e prazer são palavras que rimam e se assemelham no significado, mas não se substituem. É muito mais fácil conquistar o lazer do que o prazer. Lazer é assistir a um show, cuidar de um jardim, ouvir um disco, namorar, bater papo. Lazer é tudo o que não é dever. É uma desopilação. Automaticamente, associamos isso com o prazer: se não estamos trabalhando, estamos nos divertindo. Simplista demais.

Em primeiro lugar, podemos ter muito prazer trabalhando, é só redefinir o que é prazer. O prazer não está em dedicar um tempo programado para o ócio. O prazer é residente. Está dentro de nós, na maneira como a gente se relaciona com o mundo.

Chantal Thomas aborda a ideia de que o turismo, hoje, tem sido mais uma imposição cultural do que um prazer. As pessoas aglomeram-se em filas de museus e fazem reservas com meses de antecedência para ir comer no lugar da moda, pouco desfrutando disso tudo. Como ela diz, temos solicitações culturais em demasia. É quase uma obrigação você consumir o que está em evidência. E se é uma obrigação, ainda que ligeiramente inconsciente, não é um prazer.

Complemento dizendo que as pessoas estão fazendo turismo inclusive pelos sentimentos, passando rápido demais pelas experiências amorosas, entre elas o casamento. Queremos provar um pouquinho de tudo, queremos ser felizes mediante uma novidade. O ritmo é determinado pelas tendências de comportamento, que exigem uma apreensão veloz do universo. Calma. O prazer é mais baiano.

O prazer não está em ler uma revista, mas na sensação de estar aprendendo algo. Não está em ver o filme que ganhou o Oscar, mas na emoção que ele pode lhe trazer. Não está em faturar uma garota, mas no encontro das almas. Está em tudo o que fazemos sem estar atendendo a pedidos. Está no silêncio, no espírito, está menos na mão única e mais na contramão. O prazer está em sentir. Uma obviedade que merece ser resgatada antes que a gente comece a unir o útil com o útil, deixando o agradável pra lá.

Dezembro de 2000

Amor e sexo no novo século

Começa amanhã um novo ano e um novo século. Para 2001, não antevejo grandes transformações: serão doze meses onde ocorrerão desastres aéreos, festivais de cinema, técnicos de futebol perdendo o emprego, maus políticos sendo desmascarados, outros permanecendo intocáveis, surgirão algumas musas deslumbrantes e nevará em São Joaquim. Prever os próximos cem anos é que é desafiador.

Não posso imaginar até onde avançará a tecnologia e a ciência, mas arrisco uns palpites num setor primário: o dos relacionamentos. Aliás, não são palpites genuinamente meus. Na verdade, me descobri endossando o que li numa reportagem europeia sobre o assunto.

Os peritos anunciam: no próximo século seremos mais liberais e divertidos. Estaremos menos inclinados a escolher um único parceiro para a vida inteira. A mulher se tornará mais aventureira. As pessoas resistirão menos aos invulgares apetites que costumam ser vistos como depravação e a estrutura familiar continuará se adaptando às necessidades emocionais de cada um, como já vem acontecendo.

Adeus à ortodoxia das relações. A desordem é transformadora e criativa. O modelo que está aí é muito romântico, mas já não se sustenta nas próprias pernas. Para 2000 e tantos, roga-se um estilo de vida mais experimental.

Todos concordam que a paixão é um sentimento que dura um tempo determinado, que ter filhos é uma necessidade mais pessoal do que uma necessidade do casal e que o sexo é tão importante quanto o amor. A gente sabe que isso tudo é verdadeiro, mas são poucos aqueles que conseguem viver em sintonia com o que pensam. O novo século vai nos convidar a sair da mitificação do amor e encará-lo com mais naturalidade, para o bom humor de todos e felicidade geral da nação. A meta é desangustiar, verbo que merece ser inventado hoje, agora, antes da meia-noite.

Relações nascidas para serem curtas. Paixões sendo transformadas em amizades sexuais, parceria de vida. O sexo legitimado não como necessidade fisiológica, mas como um prazer consentido, um desejo realizado. Aceitação plena dos variados estilos de comportamento amoroso. Relações menos enquadradas, mais soltas e puras. E, principalmente, um novo conceito de paternidade, que não obrigue casais a permanecerem juntos apenas pelo laço com os filhos.

Nada disso é novidade, já está sendo vivenciado, mas por meia dúzia de pessoas desprendidas, que podem sustentar suas decisões, inclusive financeiramente. Como regra geral, ainda vale o unidos até que a morte os separe, a família como estrutura da relação e o sexo como coadjuvante do amor. Conseguiremos ser um dia totalmente liberais e divertidos?

Conseguindo, outras angústias serão geradas. Só não me pergunte quais serão. Já me darei por muito satisfeita se conseguir um dia ser 100% liberal e divertida: para vidente, o futuro é que dirá se levo jeito.

Dezembro de 2000

A fita métrica do amor

Como se mede uma pessoa? Os tamanhos variam conforme o grau de envolvimento. Ela é enorme pra você quando fala do que leu e viveu, quando trata você com carinho e respeito, quando olha nos olhos e sorri destravado. É pequena pra você quando só pensa em si mesma, quando se comporta de uma maneira pouco gentil, quando fracassa justamente no momento em que teria que demonstrar o que há de mais importante entre duas pessoas: a amizade.

Uma pessoa é gigante pra você quando se interessa pela sua vida, quando busca alternativas para o seu crescimento, quando sonha junto. É pequena quando desvia do assunto.

Uma pessoa é grande quando perdoa, quando compreende, quando se coloca no lugar do outro, quando age não de acordo com o que esperam dela, mas de acordo com o que espera de si mesma. Uma pessoa é pequena quando se deixa reger por comportamentos clichês.

Uma mesma pessoa pode aparentar grandeza ou miudeza dentro de um relacionamento, pode crescer ou decrescer num espaço de poucas semanas: será ela que mudou ou será que o amor é traiçoeiro nas suas medições? Uma decepção pode diminuir o tamanho de um amor que parecia ser grande. Uma ausência pode aumentar o tamanho de um amor que parecia ser ínfimo.

É difícil conviver com esta elasticidade: as pessoas se agigantam e se encolhem aos nossos olhos. Nosso julgamento é feito não através de centímetros e metros, mas de ações e reações, de expectativas e frustrações. Uma pessoa é única ao estender a mão, e ao recolhê-la inesperadamente, se torna mais uma. O egoísmo unifica os insignificantes.

Não é a altura, nem o peso, nem os músculos que tornam uma pessoa grande. É a sua sensibilidade sem tamanho.

Janeiro de 2001

Avec élégance

Hoje a maioria das pessoas que têm acesso à informação sabe que é peruíce usar uma blusa de paetês às duas da tarde e que é deselegante comparecer a um casamento sem gravata. Costanza Pascolato, Glória Kalil, Celia Ribeiro, Fernando Barros e Cláudia Matarazzo são alguns dos jornalistas especializados em ajudar os outros a não cometerem gafes na hora de se vestir ou de se portar à mesa. Mas existe uma coisa difícil de ser ensinada e que, talvez por isso, esteja cada vez mais rara: a elegância do comportamento.

É um dom que vai muito além do uso correto dos talheres e que abrange bem mais do que dizer um simples obrigado diante de uma gentileza. É a elegância que nos acompanha da primeira hora da manhã até a hora de dormir e que se manifesta nas situações mais prosaicas, quando não há festa alguma nem fotógrafos por perto. É uma elegância desobrigada.

É possível detectá-la nas pessoas que elogiam mais do que criticam. Nas pessoas que escutam mais do que falam. E quando falam, passam longe da fofoca, das pequenas maldades amplificadas no boca a boca.

É possível detectá-la nas pessoas que não usam um tom superior de voz ao se dirigir à empregadas domésticas, garçons ou frentistas. Nas pessoas que evitam assuntos constrangedores porque não sentem prazer em humilhar os outros. É possível detectá-la em pessoas pontuais.

Elegante é quem demonstra interesse por assuntos que desconhece, é quem dá um presente sem data de aniversário por perto, é quem cumpre o que promete e, ao receber uma ligação telefônica, não recomenda à secretária que pergunte antes quem está falando e só depois manda dizer se está ou não está.

Oferecer flores é sempre elegante. É elegante não ficar espaçoso demais. É elegante não mudar seu estilo apenas para se adaptar ao de outro. É muito elegante não falar de dinheiro em bate-papos informais. É elegante retribuir carinho e solidariedade.

Sobrenome, joias e nariz empinado não substituem a elegância do gesto. Não há livro que ensine alguém a ter uma visão generosa do mundo, a estar nele de uma forma não arrogante. Pode-se tentar capturar esta delicadeza natural através da observação, mas tentar imitá-la é improdutivo. A saída é desenvolver em si mesmo a arte de conviver, que independe de status social: é só pedir licencinha para o nosso lado brucutu, aquele que acha que "com amigo não tem que ter estas frescuras". Se os amigos não merecem uma certa cordialidade, os inimigos é que não irão um dia desfrutá-la. Educação enferruja por falta de uso. E, detalhe: não é frescura.

Janeiro de 2001

Idade avançada

Recebo muitos e-mails de leitores que me confundem com uma psicóloga ou uma conselheira sentimental, coisa que não sou. Quase todos me pedem uma opinião sobre seus impasses amorosos. Explico que não posso ajudar, que sou apenas uma escritora... mas às vezes não me controlo. Principalmente quando recebo mensagens de uma garotada de quatorze, quinze, dezesseis anos, dizendo que nunca mais irão amar como amaram o ex-namorado, ou revelando seu profundo desgosto com a vida, um "nada dá certo pra mim" que pesa feito uma cruz a ser carregada vida afora.

Já tive dezesseis anos. Tive dezoito. Tive vinte. Sofri por amor. Achei que nunca mais iria amar de novo. Achei, também, que a vida era ingrata, difícil, que as portas tinham a mania de se fechar bem na hora que eu ia entrar. Qual foi a solução? Fazer 25 anos. Depois 27. Depois 34. E, então, 39, que é onde me encontro: numa idade avançada.

Idade avançada é uma expressão pejorativa. Dizer que alguém está em idade avançada é uma maneira educada de dizer que ele é um matusalém. Nada disso, caríssimos. Avançada tem outras conotações, nem todas vinculadas ao túmulo.

Avançar envolve progresso. Avança-se não só em relação ao tempo, mas também em relação ao meio em que se vive, aos conceitos que nos são impostos. Avançando, nossa percepção do mundo é ampliada, nossa história de vida acaba se justificando e nos preparando para o que vem mais adiante. Daqui, deste posto avançado em que me encontro, posso dizer que a gente ama muitas vezes e que a vida tem mais portas do que parece. Nem todas chaveadas. Algumas, inclusive, entreabertas.

Ideias avançadas, pessoas avançadas, costumes avançados: tudo isso sugere modernidade. Gente que já superou a fase do dramalhão está se divertindo com as opções encontradas. É maravilhoso ter quatorze, dezesseis, dezenove anos. Portanto, não desperdice essa idade de ouro sofrendo como se tivesse oitenta. Sofra como quem está apenas na segunda dezena da vida e tendo milhões de dias pela frente para aprender a ser jovem.

Janeiro de 2001

Tudo conosco

Neste verão tirei meu atraso com Oscar Wilde. Ano passado foi o centenário de sua morte e muitas de suas publicações voltaram às prateleiras das livrarias, entre elas sua obra-prima, *O retrato de Dorian Gray*, que segue atual como se tivesse sido escrita ontem. Mas foi do texto da peça de teatro *O marido ideal* (uma aula de como escrever diálogos) que catei uma pérola que quero comentar. Lá pelas tantas, um personagem diz que os deuses, quando querem nos castigar, atendem aos nossos pedidos.

Por mais que o catolicismo nos instrua a agradecer mais do que a pedir, a gente pede. Em silêncio, antes de dormir, a gente pede. No momento da raiva, a gente pede. No auge da carência afetiva, a gente pede. E pede coisas grandes: que alguém volte a nos amar, que tenhamos sucesso instantâneo, que a dieta dê certo. Desejos legítimos, mas que, ao serem realizados, não garantirão um pingo de felicidade. A volta de um amor pode nos impedir de amadurecer e resgatar a autoestima. O sucesso meteórico pode nos distanciar de princípios básicos. E os sacrifícios para ter um corpo delgado podem nos tornar irritadiços. Os deuses entregam a mercadoria, mas costumam cobrar uma gorjeta e tanto.

Todo pedido é uma transferência de poder. Você deseja que alguém, ou algo, uma entidade cósmica qualquer, tome conta dos seus dias. Quer saber? Não fique devendo esse favor para os céus. Cancele a encomenda e meta você mesmo a mão na massa. Seja mais legal com seus irmãos, tome banho de chuva, dê um beijo surpresa em quem você ama, cuide dos seus dentes, aproveite sua juventude, viaje de trem, ande de bicicleta, responda os e-mails recebidos e passe horas dentro do mar. Trate de fazer as pazes com o espelho, de se espreguiçar, de dizer bom dia pro porteiro e de dançar sozinho no meio da sala. Comece a correr atrás dos seus sonhos, a valorizar as coisas simples e a zelar pelo que só você tem: sua vida. Aos deuses, peça apenas que não interfiram.

Fevereiro de 2001

Espécies em extinção

Mário Covas foi candidato à presidência do país em 1989 e não chegou nem ao segundo turno. Sempre foi um dos homens fortes do PSDB e atualmente governava o estado mais importante da Federação, mas era um nome nacional restrito à área em que atuava. Se não tivesse sido vítima de uma doença gravíssima e não tivesse reagido a ela com a lisura que lhe era costumeira, seria mais um político que, tivesse morrido de bala perdida, não receberia honras muito maiores do que um Anthony Garotinho, governador do Rio de Janeiro.

No entanto, a despedida que o Brasil deu a Mário Covas foi da mesma envergadura das de Elis Regina e de Ayrton Senna, dois ícones nacionais. Que parasse São Paulo, justifica-se, mas seu velório parou o País. Emissoras de televisão tiraram programas de grande audiência do ar para transmitir ao vivo o cortejo fúnebre e os atos de sepultamento. Artistas estiveram no enterro. Foi um acontecimento que superou os limites do que seria razoável para uma pessoa que não era, decididamente, um artista popular. Quem foi o grande homenageado, personificado em Covas? O Brasil reverenciou a dignidade.

Elis Regina, não há duas. Senna, tampouco. Mas homens corretos, capazes de manter um nome limpo durante toda a vida, deveria haver às pencas.

Inclusive no meio político. Principalmente no meio político. Falta de decoro deveria ser a exceção à regra: Maluf, um ou dois; Covas, centenas. Mas não sendo assim, a perda de um exemplar valioso da espécie comove e deixa a honestidade ainda mais órfã.

A reação coletiva de desamparo que a morte de Mário Covas provocou é boa e é triste ao mesmo tempo. Boa porque demonstra que o brasileiro ainda reconhece a honradez, mesmo não convivendo muito com ela. E triste pelo mesmo motivo: não perdemos alguém que tinha uma voz única, como Elis, ou um talento de campeão, como Senna, mas um homem comum, que agia de acordo com seus princípios, que falava as coisas que pensava, que tinha humildade em reconhecer suas fraquezas e coragem para enfrentar as adversidades: pode isso ser tão raro?

Sabe-se que, em política, integridade é mesmo um luxo para poucos, mas há muito que desisti da ideia romântica de que se trata de puro azar o fato de só os incompetentes serem eleitos para cargos de direção. É falsa ilusão achar que os bons estão do lado de fora, e que se estivéssemos no lugar deles, tudo seria um oásis. De quem é a responsabilidade por uma corja estar no comando, senão dos próprios comandados? Fico pensando em toda aquela gente boa que escreveu cartazes e foi dar uma última espiada no caixão de Covas, como se estivessem se despedindo de uma espécie em extinção: quantos de nós, ocupando um cargo público que confere extremo poder, que lida com muito dinheiro e que obriga negociações de todos os quilates, manteria a mesma dignidade até o fim? Pergunto isso porque já vi muita gente reclamar do governo em altos brados e, ao receber um troco a mais, ficar de biquinho bem fechado. De quem nos despedimos? Espero que não tenha sido de nós mesmos.

Março de 2001

Amores apertados

Sabe aqueles banheiros mínimos, que quando um entra o outro tem que sair? Têm amores que parecem um banheiro apertado: só cabe um.

Ela ama o cara. Interessa-se pela sua vida, seu trabalho, seus estudos, seu esporte, seus amigos, sua família, enfim, ela está inteira na dele. Ele, por sua vez, recebe isso de muito bom grado, mas não retribui. Não pergunta pelo trabalho dela, pelas angústias dela, por nada que lhe diga respeito. Ela, obviamente, não gosta desta situação, mas vai levando, levando, levando, até que um belo dia sua paciência se esgota e ela tira o time de campo. Aí ele entra.

De repente, como num passe de mágica, ele se dá conta de como ela é legal, de como ele tem sido distante, de como vai ser duro ficar sem a sua menina. Então ele a torpedeia com e-mails e telefonemas carinhosos. Mas ela é gata escaldada, não vai entrar nessa de novo. Ele insiste. Quer vê-la, quer que ela entenda que ele é desse jeito tosco mesmo, mas que no fundo ela é a mulher da vida dele. Ela é gata escaldada, mas não é de gelo: então tá, vamos tentar de novo. Ela entra com tudo.

Com a namorada resgatada, ele se isola novamente em seu próprio mundo, deixando-a conduzir tudo sozinha. É ela que o procura, é ela que o elogia, é ela que arma os programas, é ela que lembra das datas, é ela, tudo ela, só ela. Quer saber: tô fora!

Aí ele entra. Pô, gata, prometo, juro, ó: vou cobrir você de carinho. E não é que ele cumpre? Passa a tratá-la como uma deusa, superatencioso, parece outro homem. Ela aceita a deferência, mas não entra mais nesse jogo. Simplesmente não retribui o afeto dele, quase nunca telefona, sai com as amigas toda hora, e ele ali, no maior esforço. Ela esnobando, ele tentando, ela se fazendo, ele se declarando. Até que ele enche: tô fora.

Aí ela entra. E ele esfria, e ela cai fora, e ele volta, e seguem neste entra e sai até o desgaste total.

Bom mesmo é amor em que cabem os dois juntos.

Março de 2001

Refúgio móvel

Não há lugar como a casa da gente, dizem. Também penso assim, mas a passagem dos anos está fazendo estragos irreversíveis na minha índole: sou obrigada a confessar que, hoje, meu lar divide o troféu de melhor lugar do mundo com aquele ser de quatro rodas que pernoita na garagem.

Um carro. Serve qualquer um. O seu, por exemplo, se você tiver. Admita: não é bom ficar preso num engarrafamentozinho de vez em quando? Eu não me queixo. Não conheço lugar melhor para escutar música. Você não precisa conversar com ninguém, mas pode ouvir a conversa dos outros pelo rádio. Seu corpo está em repouso. Você é o condutor. Você manda. E ainda por cima tem espelho.

Os motoristas de táxi, que rodam a cidade até doze horas seguidas sem o mínimo conforto e proteção, entendo que não concordem, mas você aí, sortudo, que tem ar-condicionado no carro e se desloca poucas vezes por dia: é ou não é um refúgio providencial?

Eu não gosto de dirigir: amo. Tem gente que não gosta, não quer aprender e tem raiva de quem sabe. Sei de vários caras que não têm carteira de motorista, enquanto que as garotas que conheço estão todas habilitadas, o que reforça minha convicção de que as mulheres andam prezando sua independência mais do que os homens: já passaram tempo demais sendo conduzidas e não querem mais saber de pegar carona na vida dos outros.

O carro é um cativeiro ambulante, um esconderijo visível. Não dou a mínima para o status que o carro confere, sobre o quanto ele custou e se tem freios ABS: o que eu quero dele é que me permita falar sozinha, cantar, olhar a paisagem e fingir para os radares que sou boazinha. Estando sem pressa, curto até sinal vermelho. É tempo ganho, não perdido.

Nos dias que correm, tenho tido, inclusive, a sensação inusitada de estar participando de um rali, visto que meu bairro parece Dakar, ou o que eu imagino que seja Dakar: árvores cortadas e abandonadas no meio-fio, muita poeira, buracos, desvios, cavaletes, mão única para o inferno.

É um mundo selvagem, reconheço. É muito melhor ter transporte público de qualidade, ter metrô. Ainda assim, estão todos os passageiros no interior de seus ônibus, de seus trens, atentos a seus fones de ouvido ou mergulhados em seus livros, em sua solidão rápida, nos seus refúgios móveis compartilhados. O corpo sentado em movimento chama pra dentro.

Ruas lotadas, congestionamento de almas ocupadas consigo mesmas, cada uma no seu assento: urbana demais esta visão, quase catastrófica, mas gosto. Gosto do deslocamento, do trajeto mais comprido, do percurso. Não sou uma neurótica do trânsito, não faço sinais agressivos para os mais lentos, não buzino, não faço escândalo. Como não me estresso, cometo este delírio de exaltar o carro, a chave na ignição, a partida do motor, a aceleração: é da vida estar no fluxo.

Março de 2001

Clonagem de textos

A internet aproxima amigos e divulga informação: só é nociva à medida que as pessoas são, elas próprias, nocivas. Infelizmente, uma destas nocividades tem se manifestado em forma de desrespeito ao direito autoral.

Circula pela internet um texto meu sobre saudade, chamado *A dor que dói mais*, publicada no site Almas Gêmeas e no meu livro *Trem-bala*, assinado por Miguel Falabella, inclusive com uns enxertos vulgares, licença-poética que o "coautor", seja ele quem for, se permitiu. Também andou circulando um texto meu chamado *As razões que o amor desconhece*, desta vez creditado a Roberto Freire. No Dia Internacional da Mulher, a apresentadora Olga Bongiovanni, da TV Bandeirantes, leu no ar o meu texto *O mulherão*, e em seguida o disponibilizou no site do programa, onde pude constatar alguns parágrafos adicionados por algum outro coautor ávido por fazer sua singela contribuição. A produção corrigiu o erro assim que foi avisada. Quem controla isso?

Imagino que essa apropriação indevida venha lesando diversos outros cronistas, que por dever de ofício produzem textos diariamente, tornando-se inviável o registro de cada um deles. A fiscalização fica por conta do leitor, que, conhecendo o estilo do escritor, pode detectar sua autenticidade.

Não chega a ser um crime hediondo e também não é novo. Credita-se a Borges um texto sobre como ele viveria se pudesse nascer de novo, que os estudiosos da sua obra negam a autoria, e García Márquez, pouco tempo atrás, teve que desmentir ser ele o autor de um manifesto meloso que andou circulando entre os internautas. Luis Fernando Verissimo também andou negando a autoria de um texto sobre drogas, que assinaram como se fosse dele. Todas as pessoas que escrevem estão e sempre estiveram vulneráveis a esses enganos, involuntários ou não, mas não há dúvida de que a internet, pela facilidade e rapidez de divulgação de e-mails, massificou a rapinagem.

Perde com isso, primeiramente, o autor, que vive de seu trabalho e que fica à mercê de ter suas palavras e pensamentos transferidos para outro nome, ou, pior ainda, adulterados: não são poucos os que acrescentam sua própria ideia ao texto e mantêm o nome do autor verdadeiro, pouco se importando em corromper a legitimidade da obra. E perde também o leitor, que é enganado na sua crença e que poderá vir a passar por desinformado. Viva a internet, mas que os gatunos virtuais tratem de produzir eles mesmos suas próprias verdades.

Março de 2001

Você é

Você é os brinquedos que brincou, as gírias que usava, você é os nervos à flor da pele no vestibular, os segredos que guardou, você é sua praia preferida, Garopaba, Maresias, Ipanema, você é o renascido depois do acidente que escapou, aquele amor atordoado que viveu, a conversa séria que teve um dia com seu pai, você é o que você lembra.

Você é a saudade que sente da sua mãe, o sonho desfeito quase no altar, a infância que você recorda, a dor de não ter dado certo, de não ter falado na hora, você é aquilo que foi amputado no passado, a emoção de um trecho de livro, a cena de rua que lhe arrancou lágrimas, você é o que você chora.

Você é o abraço inesperado, a força dada para o amigo que precisa, você é o pelo do braço que eriça, a sensibilidade que grita, o carinho que permuta, você é as palavras ditas para ajudar, os gritos destrancados da garganta, os pedaços que junta, você é o orgasmo, a gargalhada, o beijo, você é o que você desnuda.

Você é a raiva de não ter alcançado, a impotência de não conseguir mudar, você é o desprezo pelo que os outros mentem, o desapontamento com o governo, o ódio que tudo isso dá, você é aquele que rema, que cansado não desiste, você é a indignação com o lixo jogado do carro, a ardência da revolta, você é o que você queima.

Você é aquilo que reivindica, o que consegue gerar através da sua verdade e da sua luta, você é os direitos que tem, os deveres que se obriga, você é a estrada por onde corre atrás, serpenteia, atalha, busca, você é o que você pleiteia.

Você não é só o que come e o que veste. Você é o que você requer, recruta, rabisca, traga, goza e lê. Você é o que ninguém vê.

Março de 2001

Mulheres de cera

Evito ver os programas de auditório que passam na tevê aos domingos porque eles perturbam a minha digestão. Mas, domingo desses, essa precaução com minha saúde fugiu do meu controle. O remoto. Alguém zapeou e eu não vi: estava lá o Faustão no meio da sala, com aquele linguajar de lorde inglês, mostrando as cirurgias plásticas realizadas em mulheres que almejavam, uma, o título de miss; a outra, o de rainha do carnaval. Mulheres construídas em mesa de cirurgia. Frankensteins.

Uma coisa é você colocar um silicone aqui, fazer uma lipo ali, puxar uma papada proeminente: estando precisada e isso não alterando muito o modelo original, tudo bem. Mas o que estas duas criaturas que eu vi no Faustão fizeram foi um atentado contra o que elas tinham de mais genuíno: a expressão facial.

A candidata a miss é a que me deixou mais perplexa. Uma garota jovem, que já tinha sido abençoada por Deus com um rosto lindo, verdadeiramente seu, se transformou numa Vera Loyola, numa Carmem Mayrink Veiga, essa gente que tem todos a mesma cara e a mesma idade: nenhuma. É impossível que elas não percebam que a manipulação estética, quando excessiva, transforma o rosto numa máscara. O sorriso vira um tique nervoso. A pele fica extremamente lustrosa e o olhar é de espanto constante. Todos eles viram a sua própria versão em cera: parece que escaparam do museu Madame Tussaud.

O outro caso é igualmente espantoso: uma mulher operada pelo próprio marido, refeita desde a panturrilha até a testa. Não só consertou o que poderia ser consertado como ainda levou de brinde um furinho no queixo. Linda. Estonteante. Vertiginosa. Bocão. Peitão. Um assombro. Feita não só para desfilar num carro alegórico como para fixar residência num carro alegórico. São mulheres com expressões felizes, radiantes. Ai delas se resolverem ter uma dor de dente ou passar perto de um velório: seus rostos não foram preparados para o sofrimento.

Sei, sei, sou a rainha da dor de cotovelo e Pitanguy nenhum operaria um milagre em mim. Não precisam tripudiar. É claro que as garotas já eram gatas e não estão roubando nem matando ninguém. Mas acautelem-se aquelas que estão pensando em entrar para o time das Frankensteins. Nada no mundo é mais bonito que uma covinha de berço, que um vinco de estimação, que uma cara que tem uma história e um vigor. O rosto é a alma vista de fora. Pequenas correções são quase imperceptíveis, mas recauchutagem completa é um delírio e uma provocação à natureza, que é sábia. Meninas, não sejam nem barbies nem susies, nem cópias nem farsas: lancem a moda de serem autênticas.

Março de 2001

Elogio à Marília Gabriela

Minha admiração pela jornalista Marília Gabriela vem de muito tempo, desde o *TV Mulher*, e permaneceu quando vieram as entrevistas do Frente a Frente, Cara a Cara, esses programas com nomes parecidos que ela conduz até hoje. Mas atualmente ela está em evidência por causa do seu relacionamento com um homem quase 25 anos mais jovem. Afinal, qual é o mel da Gabi?

Marília Gabriela é bivolt. Feminina e masculina. Jovem e cinquentona. Jornalista consagrada e atriz iniciante. Tudo nela é fora dos padrões: a beleza, inclusive. Uma mulher irrotulável.

São raros os seres que conseguem escapar de um molde exato. A maioria das pessoas ou é jovem ou é velha. Ou é careta ou é moderna. Ou é linda ou um jaburu. Nossos olhos são preguiçosos, querem ver um produto acabado, algo que não convide à investigação. E como sempre prezei as mesclas, acho essa visão estática demais. As contradições, sim, é que movimentam a vida e tornam as pessoas mais interessantes.

A relação de Marília Gabriela com o ator Reynaldo Gianecchini é um prato feito para reavaliarmos nossas convicções ortodoxas. Não é novidade ver mulheres namorando homens mais jovens, estão aí Elba Ramalho e Daniela Mercury, para citar dois exemplos entre muitos, porém Reynaldo virou um astro por causa da novela, e entrou para o clube dos-que-podem-ter-a-mulher-que-escolher. O relacionamento com Gabi começou antes disso, mas permaneceu apesar disso, o que torna esta mulher ainda mais enigmática.

Tem a torcida contra, que diz que esta é uma relação de interesse, como se todas as relações não fossem. Ele ganha dela a inteligência, a vivência e provavelmente um sexo mais experiente, que, como todos deveriam saber, independe de um corpo perfeito. Ela ganha dele o pique, o estímulo ao lado rock'n'roll que ela tem e os hormônios alegrinhos do rapaz. Tudo isso me parece bem mais apaixonante do que se "apaixonar" por causa de um sobrenome, de uma conta bancária ou de uma possibilidade de casamento, como acontece com milhares de mulheres que se relacionam com homens de sua mesma geração. O jogo de interesses prevalece em qualquer situação.

Marília é corajosa. Sabe que Gianecchini, inevitavelmente, um dia tomará o rumo dele, em busca de uma vivência que ela já teve e ele não: filhos. É do instinto de todos procriar, ou de quase todos. Aí reside o mistério e o fascínio desta relação que nasceu para ser efêmera, coisa que é fácil de teorizar, mas dificílima de ser colocada em prática. Marília está assumindo um risco que as mulheres, em geral, não se atrevem: o de viver um sentimento intenso sabendo que há uma dor de cotovelo esperando atrás da porta. Ela tem consciência de que ele não é o homem da vida dela, é o homem do momento dela. O homem da vida dela é ela mesma.

Não estou chutando: são declarações da própria para a revista Marie Claire deste mês. Nós temos o homem certo e a mulher certa dentro de nós; é muito sacrificante e injusto esperar que alguém tenha que suprir o que nos falta, diz ela. Por pensamentos como este é que Marília Gabriela é o que é: uma pessoa completa em suas qualidades e defeitos, bela e fera, ousada e pé no chão. Uma mulher sem idade.

Abril de 2001

Formiguinhaz

Elas estão por toda parte. Percorrem o teclado do meu computador, circulando por jotas, efes e arrobas. Somem entre as teclas do alfabeto, reaparecem nas teclas de pontuação. Viraram assunto.

Formigas. Tão pequenas que eu diria que são poeiras caminhantes. Assentam-se na cozinha, principalmente. Gostam de Trakinas de morango, bolo de chocolate, biscoito amanteigado e croissant doce. Pingos de coca-cola sobre a mesa fazem a festa das mais infantis, que descem pelas paredes em fila indiana, como se estivessem na pré-escola, rumo ao recreio. Eu limpo, varro, escondo, mas elas acham. São formigas de vanguarda, minimalistas, desaparecem no underground. Algumas, diabéticas, não comem açúcar: ainda ontem atacaram um pacote de salgadinhos finíssimos.

Já as surpreendi entre os livros. Preferem literatura nacional, talvez saibam ler. Mas duas ou três andam cobiçando um exemplar de poemas de Mario Benedetti escrito na língua natal do poeta, o castelhano. Viajadas, minhas formigas, e líricas.

Tenho uma foto em cima da mesa de trabalho, eu e mais duas amigas numa festa, estamos alegres e, sendo verão, decotadas. Uma formiguinha subiu pelo suporte que segurava a foto, farejou a foto (é uma formiga das cachorras) e adentrou num decote, que não era o meu, mas da amiga que estava de vermelho. Formigas reconhecem cores, volumes e cheiros.

E pensam. As formigas aqui de casa pensam e pensam rápido. Se estou assassinando uma ignorante que tenta entrar no microondas, a outra, lá na outra ponta, corre. São formigas atletas, as minhas. Dão no pé e avisam entre si: sujou! Não se falam com a boca, mas com os olhos amedrontados, meio vesgos. E escapam.

Vaidosas, minhas formigas. Já as surpreendi lendo um rótulo em francês de um creme da Lancôme: pediram que eu traduzisse Soin Régénérant Visible. Mandei elas escolherem um hidratante nacional e que não me amolassem.

Saradas, às vezes enfrentam um carpete, difícil de caminhar, mas que deixa suas perninhas rijas, como se jogassem vôlei de praia. Pelo carpete vão até o banheiro das crianças, mas se arrependem, se afogam, totalmente despreparadas para o mundo selvagem. Observo-as sumindo pelo ralo, fazendo-se de mortas no rejunte, entre dois azulejos escorregadios. Corajosas, porém amadoras.

Formigas experientes não saem da cozinha, respeitam a geladeira e dormem junto à cesta de pães, onde sempre se descola um farelo. Circundam a lata de lixo e dão plantão na janela, talvez até assoviem pras vizinhas: venham, hoje tem geleia!

Quase todas são desleais, subornam os dedetizadores e conhecem algumas táticas do MST: invadem e se instalam, os donos que se danem. Imagino o que não fazem num MacDonald's. Algumas, atraídas por alguma gota de suco de uva, são recolhidas com um perfex molhado e passam dessa para uma pior, mas reproduzem-se rápido: são férteis, e sendo tantas, já não luto mais.

Abril de 2001

A prisão de cada um

O psiquiatra gaúcho Paulo Rebelato, em entrevista para a revista *Red 32*, disse que o máximo de liberdade que o ser humano pode aspirar é escolher a prisão na qual quer viver.

Pode-se aceitar esta verdade com pessimismo ou otimismo, mas é impossível refutá-la. A liberdade é uma abstração. Liberdade não é uma calça velha, azul e desbotada, e, sim, nudez total, nenhum comportamento para vestir. No entanto, a sociedade não nos deixa sair à rua sem um crachá de identificação pendurado no pescoço. Diga-me qual é a sua tribo e eu lhe direi qual é a sua clausura.

São cativeiros bem mais agradáveis do que Carandiru: podemos pegar sol, ler livros, receber amigos, comer bons pratos, ouvir música, ou seja, uma cadeia à moda Luís Estevão, só que temos que advogar em causa própria e habeas corpus, nem pensar.

O casamento pode ser uma prisão. E a maternidade, a pena máxima. Um emprego que rende um gordo salário trancafia você, o impede de chutar o balde e arriscar novos voos. O mesmo se pode dizer de um cargo de chefia. Tudo que lhe dá segurança ao mesmo tempo lhe escraviza.

Viver sem laços igualmente pode nos reter. Uma vida mundana, sem dependentes pra sustentar, o céu como limite: prisão também. Você se condena a passar o resto da vida sem experimentar a delícia de uma vida amorosa estável, o conforto de um endereço certo e a imortalidade alcançada através de um filho.

Se nem a estabilidade e a instabilidade nos tornam livres, aceitemos que poder escolher a própria prisão já é, em si, uma vitória. Nós é que decidimos quando seremos capturados e para onde seremos levados. É uma opção consciente. Não nos obrigaram a nada, não nos trancafiaram num sanatório ou num presídio real, entre quatro paredes. Nosso crime é estar vivo e nossa sentença é branda, visto que outros, ao cometerem o mesmo crime que nós – nascer – foram trancafiados em lugares chamados analfabetismo, miséria, exclusão. Brindemos: temos todos cela especial.

Abril de 2001

Bichos de pelúcia

Estava eu muy bela caminhando pelos corredores de um shopping quando passo em frente a uma loja de eletrodomésticos e me deparo com a cena: um televisor de 5.498 polegadas mostrava Mariah Carey no palco, cantando agarrada em um bichinho de pelúcia. Poderia ser a Gloria Estefan ou a Shakira, não diferencio muito uma da outra, mas de uma coisa eu tenho certeza: era um bichinho de pelúcia.

Como eu tenho várias leitoras adolescentes que me tratam com muito carinho e respeito, havia prometido a mim mesma não tocar jamais neste assunto. Há anos que penso em escrever sobre isso, mas fui empurrando com a barriga: deixa pra lá, Martha, não é relevante. Só que paciência tem limite. A Mariah Carey, a Gloria Estefan ou a Shakira, não importa, fazendo carinho num bichinho de pelúcia enquanto canta algo como "mi amor, estoy enamorada" é mais escandaloso do que a Madonna simulando masturbação num show. Vou meter minha colher, sinto muito.

Se você é uma recém-nascida, tudo bem ter dúzias de bichinhos de pelúcia enfeitando o quarto, desde que além de lactente você não seja alérgica. Aos cinco anos você estará implorando para sua mãe doá-los todos a uma creche carente, já que você precisa de espaço no quarto para outros brinquedos, como um computador. Aí você seguirá normal até os quatorze anos, quando se apaixonará pela primeira vez por um cara espinhento que no primeiro Dia dos Namorados será atingido pela síndrome da Maritel e lhe dará de presente, adivinhe o quê: sim. Você vai se agarrar no tal bicho como em sua própria vida, pois é a prova material de que aquele panaca que sonha em ser um dos irmãos Gracie ama você. Tá, a gente entende e até apoia, desde que, ao completar quinze anos, os bichanos sejam cremados e depois, pra garantir, enterrados, não importa o tipo de recordação que provoquem nos meigos corações.

Mas não é para baixo da terra que eles vão. Eles vão para cima da cama. Reproduzem-se em cima da cama. Sabe-se lá o que fazem em cima da cama. As garotas completam dezessete, 22, 28 e continuam com aquela tropa felpuda em cima da cama. Qual é o coletivo de bicho de pelúcia? Enxame? Cardume? Alcateia? Não importa, fica o bando em cima da cama.

Foge à minha compreensão o fato de mulheres que já têm até bigode ainda decorarem seus quartos com bichinhos de pelúcia. Me sinto pessoalmente atingida. Talvez não tenha recebido bichinhos o suficiente quando era menina, estou para resolver isso num divã, mas a verdade é que colecioná-los, depois dos dezessete anos, é sintoma mais que justificado para interná-las e ficar de olho. Só pode ser tara.

Abril de 2001

Bichos de pelúcia parte 2

Já escrevi sobre aborto, homossexualismo, eutanásia e outros temas polêmicos. Sobre todos eles, chegaram cartas e e-mails, uns concordando com minha posição, outros discordando, na saudável relação de mão dupla que todo cronista estabelece com seu leitor. Mas nunca, nestes parcos sete anos em que venho me dedicando à crônica, recebi uma reação tão desmedida como a provocada pelo texto do último domingo, sobre bichos de pelúcia. Ao escrevê-lo, imaginei que algumas pessoas não iriam gostar, mas o tom descontraído do texto e o exagero caricatural me pareceram suficientes para caracterizar sua comicidade, sem risco de detonar a fúria insana com que fui atacada. Ao que tudo indica, meus leitores ficaram reduzidos a um grupo de meia dúzia, e é para esta meia dúzia que volto a falar sobre o assunto, agora seriamente.

Meu erro fatal foi achar que um bicho de pelúcia é apenas um bicho de pelúcia, assim como um charuto é apenas um charuto. Discutindo sobre esta questão com alguns míseros leitores que me apoiaram, entre eles o professor de filosofia Amílcar Bernardi, caiu a ficha: o bicho de pelúcia é a ligação da mulher com sua inocência perdida. O bicho de pelúcia é a materialização da sua feminilidade em um mundo onde ela foi obrigada a rugir para se dar bem.

O bicho de pelúcia é sua virgindade preservada, seu lado Sandy, a sua síndrome de Peter Pan: o espelho do quarto diz que ela está envelhecendo, enquanto que os bichinhos em cima da cama dizem que não.

Não deixa de ser sintomático que garotas que posam nuas para revistas masculinas façam questão de afirmar que dormem agarradas aos apeluciados. É a prova de que suas almas seguem intocadas. O boneco é seu álibi e sua redenção.

Enfim, toquei desajeitadamente no sagrado de cada mulher, e o que era para ser uma brincadeira tornou-se uma profanação, o que explica o fato de algumas terem verbalizado seu desejo de me verem arder numa fogueira. É para tanto? Não estaremos revelando, sem perceber, um certo pânico de nos tornarmos adultas? Uma mulher não perde sua pureza ao colecionar apenas livros, discos, fotos, caixinhas e outros objetos menos suaves ao toque. Uma mulher não deixa de ser romântica por guardar as lembranças de um ex-namorado dentro do armário, ou apenas dentro de si mesma. Uma mulher não perde sua delicadeza por não manter um elemento da infância à vista dos olhos. Nossa infância está entranhada em nós, irremediavelmente grudada em cada passo que damos rumo a todas as idades. Mas é preciso que ela seja vivenciada e resolvida, para dar espaço às outras etapas que virão, igualmente importantes e não menos femininas, ainda que a vida nunca mais venha a ser cor-de-rosa como foi um dia.

Não estou aqui para fazer cabeças, mas para estimular a reflexão. Cercar-se de bichos de pelúcia é um direito de todos, mas é alienante manter com eles vínculos tão passionais. Se acham que os bichinhos são decorativos, que os mantenham expostos, mas sem perder a consciência de que os ritos de passagem fazem parte da vida e de que há outras coisas bacanas de se colecionar, como bom humor, por exemplo.

Abril de 2001

A pior hora pra falar disso

Está tudo numa boa entre vocês, mas você quer conversar com ele sobre aquela reação desmedida que ele teve na festa, quase agrediu seu primo por causa de uma discussão boba, "você anda tenso, quer desabafar?"

Você quer dar um toque sobre a saúde dele, que não está legal. O cara está fumando quase duas carteiras por dia, não tem mais fôlego nem para o futebol das quintas, anda encatarrado, a pele sem viço, e é tão jovem ainda, por que não se cuida melhor?

Você quer discutir a relação, sim senhor. Quer tentar descobrir, com toda boa vontade, as razões que estão levando o casamento de vocês a ficar tão entediante. Dá para a gente falar um pouco sobre isso agora?

Agora???????????

Agora não dá, vai começar o treino para o Grande Prêmio do Japão, quero ver o tempo que o Rubinho vai fazer.

Agora nem pensar, tô moído, hoje o dia foi muito puxado.

Logo agora que eu ia levar o carro pra lavar? Depois do almoço a gente conversa.

Comi demais, amor, tô louco pra me esparramar naquele sofá.

Justo agora, em pleno sábado? Vai estragar nosso final de semana.

Tocar nesse assunto numa segunda-feira, tenha dó.

Agora tô caindo de sono, vou dormir mais cedo hoje.

Mas agora que eu recém acordei?

Sinto muito, mas você escolheu a pior hora.

Conversas francas e sérias: impossível agendá-las para uma ocasião que seja do agrado dele. Toda hora será imprópria, inadequada. Você sempre terá escolhido o pior momento para falar da relação dele com a mãe, do desestímulo dele com o trabalho, da vida sexual de vocês, do dinheiro que anda curto, enfim, de qualquer assunto que obrigue-o a se concentrar e procurar juntos uma solução. Tudo bem, generalizar é sempre injusto: há aqueles que rapidamente se colocam a postos para o embate, mas são raros. A maioria, se puder, vai propor um adiamento. Ad infinitum.

Amanhã a gente conversa sobre isso, prometo.

Eu prometi isso ontem? Você bebeu. Hoje tem jogo pelas eliminatórias da Copa, nem pensar.

Abril de 2001

O cego do Everest

Erik Weihenmayer deveria estar na capa da próxima edição da *Caras*, mas não vai estar porque não trabalha em novela, não é apresentador de televisão, não joga futebol e não é vocalista de um grupo de pagode. Ele é apenas um reles alpinista de 32 anos que, cego desde os treze, alcançou o cume do Everest, que tem 8.850 metros de altura.

Este cara tem todos os motivos para estufar o peito e se proclamar um artista. Ele é mais do que um deficiente obstinado. É um homem que teve que reaprender a atravessar uma rua, que nunca mais viu a neve e o céu, que não conhece o rosto da própria esposa, e que ainda assim deixou a bengala e o medo em casa para enfrentar um desafio que raríssimos esportistas vendendo saúde se atrevem. Não foi a primeira montanha da vida dele nem será a última. A necessidade de superar-se é o seu pastor alemão, sua desobediência diante da fatalidade é o que lhe serve de guia.

Artista já foi bicho raro, pessoas eleitas tipo Van Gogh, Fellini ou Pelé. Hoje acabou esse endeusamento aos talentos geniais e abriu-se espaço para todos sobressaírem, até porque nascer com um dom tem sido tão corriqueiro quanto nascer com um pâncreas. Todo mundo sabe escrever. Ou pintar. Ou bater uma bolinha. Ou compõe. Ou canta. Ou é um bom contador de piadas. Ou tem carisma. É ouro em pó este tal de carisma. O mundo está povoado de artistas, e cedo ou tarde todos conseguem uma oportunidade para dar o ar de sua graça em alguma foto de revista, fazendo figuração para um comercial de tevê ou escrevendo para o espaço do leitor.

O conceito de fama se banalizou de tal forma que, para mim, quem merece o título de vip – very important person – é o Erik, que escala montanhas no seu apagão íntimo e eterno. Vip são essas mulheres que têm três filhos naturais e ainda adotam mais 11, alguns deles deficientes físicos ou portadores do vírus HIV, e mesmo ganhando uma miséria por mês conseguem alimentar e vestir todos eles. Vip é quem presta serviço voluntário, não uma vez a cada ano bissexto, mas de forma permanente e consciente, ofertando seu conhecimento e seu tempo para dar nova perspectiva à vida dos outros. Vip é quem tem um compromisso consigo mesmo, o de alcançar suas metas pessoais, mas, ao mesmo tempo, dá o seu recado ao mundo, já que o mundo precisa deste tipo de toque mais do que de carisma.

Salve Erik, que esteve lá em cima, congelado até a última pestana, numa excursão quase suicida, só para dizer: se eu posso, imagine você.

Maio de 2001

A sogra do meu marido

Dizem que sogra implica com nora e mima demais o genro. Que sogra se mete na vida do casal, que faz intriga e que só falta colocar um colchão na sala e se instalar pra sempre. Que sogra fala demais. E se não fala, aí é que é mais perigosa. Que sogra parece que adivinha o horário mais inconveniente para telefonar. Isso foi o que eu ouvi falar, pois minha experiência no assunto é zero. Não tive sogra. A única sogra que eu conheço é a do meu marido.

A sogra do meu marido desmente todos os clichês acima relacionados. Ela é a pessoa mais discreta que eu conheço. Nunca deu palpite sobre a vida íntima do genro nem da mulher dele, a não ser nas vezes em que foi convidada a dar sua opinião. Dizem que sogra é abusada. Pois a do meu marido só abusa no tato e no respeito. Nunca apareceu sem avisar, nunca se escalou para finais de semana, nunca abriu panelas e xeretou o tempero. Ao mesmo tempo, não é visita: é gente da casa. Sempre soube ser bem-vinda.

A sogra do meu marido é alegre e vaidosa. Nunca foi vista de pijama, roupão, grampo no cabelo e outras alegorias que os chargistas adoram vestir nas sogras. Ela gosta de música, discute cinema, dá presentes bons e elogios rasgados. Sorri muito e torna qualquer ambiente agradável. Cara fechada não é com ela.

A sogra do meu marido cozinha para si mesma, é independente e não reclama da vida. Aceita caronas com relutância, pois gosta de dirigir seu próprio carro e ainda mais de andar a pé. E quando recebe em sua casa, é sempre uma festa. Prepara os pratos que o pessoal mais gosta, põe uma mesa de dar gosto, deixa todo mundo à vontade. É uma mãe para todos, uma mulher para ela mesma e uma "sogra" para ninguém.

Além disso, a sogra do meu marido é a melhor avó que uma criança poderia sonhar. Conta histórias mais originais que as de Harry Potter, inventa brincadeiras engraçadas, está disponível para aventuras e é boa de abraçar.

Alguém já escreveu que todo homem detesta a própria sogra porque ela antecipa o que a sua mulher provavelmente se tornará. Se é mesmo verdade que as sogras são todas ranzinzas e intrometidas, então estes caras estão mesmo numa sinuca. Eu prefiro achar que as sogras de hoje são criativas, divertidas e amorosas, e sabem muito bem estar por perto sem sufocar ninguém, até porque elas têm mais o que fazer da vida. Isso se elas forem como a sogra do meu marido, em quem um dia pretendo me espelhar.

Maio de 2001

A raça dos desassossegados

Foi no livro *A caverna*, de José Saramago, que o personagem Cipriano Algor definiu seu genro Marçal como um homem "da raça dos desassossegados de nascença", e logo pensei, ao ler, "eu também sou", assim como você deve estar pensando, "me inclua nessa".

À raça dos desassossegados pertencemos todos, negros e brancos, ricos e pobres, jovens e velhos, desde que tenhamos, como característica desta raça comum, a inquietação que nos torna insuportavelmente exigentes com a gente mesmo e a ambição de vencer não os jogos, mas o tempo, este adversário implacável.

Desassossegados do mundo correm atrás da felicidade possível, e uma vez alcançado seu quinhão, não sossegam: saem atrás da felicidade improvável, aquela que se promete constante, aquela que ninguém nunca viu, e por isso sua raridade.

Desassossegados amam com atropelo, cultivam fantasias irreais de amores sublimes, fartos e eternos, são sabidamente apressados, cheios de ânsias e desejos, amam muito mais do que necessitam e recebem menos amor do que planejavam.

Desassossegados pensam acordados e dormindo, pensam falando e escutando, pensam ao concordar e, quando discordam, pensam que pensam melhor, e pensam com clareza uns dias e com a mente turva em outros, e pensam tanto que pensam que descansam.

Desassossegados não podem mais ver o telejornal que choram, não podem sair mais às ruas que temem, não podem aceitar tanta gente crua habitando os topos das pirâmides e tanta gente cozida em filas, em madrugadas e no silêncio dos bueiros.

Desassossegados vestem-se de qualquer jeito, arrancam a pele dos dedos com os dentes, homens e mulheres soterrados, cavando uma abertura, tentando abrir uma janela emperrada, inventando uns desafios diferentes para sentir sua vida empurrada, desassossegados voltados pra frente.

Desassossegados desconfiam de si mesmos, se acusam e se defendem, contradizem-se, são fáceis e difíceis, acatam e desrespeitam as leis e seus próprios conceitos, tumultuados e irresistíveis seres que latejam.

Desassossegados têm insônia e são gentis, lhes incomodam as verdades imutáveis, riem quando bebem, não enjoam, mas ficam tontos com tanta ideia solta, com tamanha esquizofrenia, não se acomodam em rede, leito, lamentam a falta que faz uma paz inconsciente.

Desta raça somos todos, eu sou, só sossego quando me aceito.

Maio de 2001

Bolero e rock'n'roll

Semana passada assisti a dois excelentes filmes que, aparentemente, nada têm a ver um com o outro. O primeiro deles é o chinês *Amor à flor da pele*, que conta a história de um homem e uma mulher que iniciam um romance depois de descobrirem que seus cônjuges estão fazendo o mesmo. O que poderia, na mão de um cineasta tosco, ser um filme sobre traição e revanchismo, virou poesia pura sob a direção de Wong Kar-Wai. Tudo no filme é delicado: a condução das imagens, a trilha sonora (bolero cantado em espanhol em filme chinês, mal pude acreditar no que estava escutando), a fotografia exuberante, o figurino idem (cuja função é marcar a passagem das horas e dos dias) e cenas absolutamente tocantes, como as dos amantes ensaiando sua ruptura, na tentativa de sofrerem menos quando chegasse o momento de cada um ir para seu lado. Vã tentativa. A ausência do ser amado é algo tão visceral que simulá-la provoca dor igual. Ninguém está preparado para receber uma emoção intensa e muito menos para perdê-la: sempre estamos desprevenidos diante de um amor, tenhamos treze ou 130 anos, sejamos orientais ou ocidentais. O que pode ser diferenciada é a maneira como esta história é contada no cinema. No caso de *Amor à flor da pele*, a opção foi pela elegância no trato dos sentimentos, pela sofisticação do silêncio e pela valorização do implícito. Então é filme de prestar atenção?, perguntaria um reticente. É. Na gente mesmo.

O outro filme é o avesso do silêncio e do intimismo. *Quase famosos*, de Cameron Crowe, é sexo, drogas e rock'n'roll, aquela tríade que está deslocada do nosso tempo mas que dá um saudosismo danado. Tudo funciona bem no filme, desde o elenco despretensioso até as piadas que a gente já ouviu antes, mas que continuam fazendo rir. O filme pode afastar da bilheteria alguns tios e tias desavisados, achando que irão ver na tela viagens de ácido e muito som pauleira. Tem tudo isso, sim, e o filme ainda faz uma crítica à tirania do mercado e das gravadoras, que massifica tudo o que pode ser sucesso e não permite o surgimento de bandas antológicas como foram Black Sabath, Lynyrd Skynyrd, Deep Purple, Led Zepellin, Wishbone Ash, uns mais, outros menos lendários, mas todos autênticos. Pois apesar de todo esse arsenal de guitarra, estrada e marijuana, fazia tempo que eu não via um filme tão leve, um filme tão, tão... querido.

Aí está o parentesco entre o filme chinês e o filme norte-americano, antagônicos em sua temática e cultura: ambos têm humanidade. Não são superproduções milionárias e frias, não há devaneios nem manipulação da plateia: são, ao contrário, filmes que aterrissam na alma e dão uma sensação boa de fazermos parte de uma turma, a turma dos que não têm vergonha de se emocionar, que assumem sua parcela de ingenuidade e que gostam de ser tratados com alguma fineza, seja qual for o assunto em pauta.

Hong Kong – San Diego – Porto Alegre. É a tal magia do cinema.

Maio de 2001

As pequenas maldades

A Rita, sabe a Rita? Pois é, menina, largou o marido e os dois filhos e foi fazer não sei o que no interior da Inglaterra.

A Estela? Uma vagabunda.

A Viviane deu o golpe do baú, todo mundo sabe, só esqueceram de contar para o pobre do Alceu, que ficou cego e burro depois que caiu nas garras daquela alpinista social.

Eu duvido, du-vi-do, que a Raquel não tenha um amante. Ela anda muito feliz ultimamente.

Rita, Estela, Viviane e Raquel são vítimas das Léas, Carlas, Sônias e Cecílias, que por sua vez estão na boca das Terezas, Veras, Dianas e Selmas, que também não escapam do veneno de Cláudias, Patrícias, Lilians e Mauras. Passado o dia internacional da mulher e cessados todos os elogios que merecemos por sermos ativas, guerreiras, amorosas e polivalentes, está na hora de reconhecermos um dos nossos defeitos mortais: a irresponsabilidade verbal.

Falar da vida dos outros é hobby e não apenas feminino, ainda que sejamos nós as maiores adeptas deste esporte. Nem sempre a falação é maldosa. Fulana ganhou um prêmio, Beltrana está radiante porque seu tratamento contra a celulite está dando certo e Sicrana está deprimida por causa de um amor rompido: ok, comenta-se. Alguns assuntos são frívolos, outros mais sérios, mas não há intenção de desmoralizar ninguém. O caso muda de figura quando passamos a rotular os outros em função de uma fofoca, de uma situação resumida, sem levar em consideração a complexidade da vida de todos nós.

Rita se mandou para o interior da Inglaterra? Bem fez a Rita. Os filhos estão criados e o marido foi quem mais a incentivou a realizar o sonho de estudar inglês lá fora. Eles têm uma relação sólida e desapego às convenções, vão cada um para seu lado e voltam um para o outro ainda mais apaixonados.

A Estela, de vagabunda, não tem nada. Trabalha desde os dezesseis, conseguiu completar o segundo grau com muito esforço, paga todas as suas contas em dia e é a amiga mais leal que alguém pode encontrar. É solteira, vacinada e transa com quem bem entender, pois sexo para ela é vital e prazeroso, e homem nenhum tem se queixado de sua liberdade.

A Viviane era dura mesmo, antes de casar com o Alceu. E o Alceu era duro em outro sentido, duro no seu modo de encarar a vida: surgiu Viviane e passou a estimulá-lo a viajar, comer bem, tomar bons vinhos, ter uma casa bonita, comprar livros de arte, enfim, a gastar um dinheiro que estaria sendo guardado para uma emergência até o fim de seus dias. Apareceu Viviane e mostrou pra ele que a vida é a maior emergência que existe, e o Alceu, cego e burro, se tornou mais feliz.

E a Raquel tem um amante? Jura? Se inveja matasse, hein, gurias...

Maio de 2001

Liberdade, a palavra

Faz tempo ou não faz, já nem sei quão longe fica o passado. Mas lembro ainda de uma época em que se falava muito em liberdade. Liberdade sexual, liberdade de imprensa, liberdade para presos políticos, liberdade para votar. Era nosso grito de guerra num mundo comandado por poucos, onde a repressão dava as ordens. Queríamos liberdade como quem quer ganhar na mega sena tão sonhada. Até que surgiu a pílula anticoncepcional, até que a censura acabou, até que passamos a votar para presidente. Conquistamos a liberdade de escolha. Paramos então de pronunciá-la, a palavra.

Hoje queremos salvar as florestas e acabar com a violência. Queremos a cura do câncer e restituir valores esquecidos. Queremos incentivo à cultura e menos dependência dos órgãos financeiros internacionais. Queremos paz. Mas nem um pio sobre liberdade, pois a palavra saiu de moda, é slogan de bicho-grilo que ficou pra trás.

Liberdade, a palavra, entrou em desuso. Vivemos num mundo automatizado e cuja matéria-prima de maior valor é a informação, a que todas as nações têm acesso. Podem nem todos ter pão e emprego, mas de liberdade não se fala mais. Caiu para a segunda divisão dos desejos.

Quanta ilusão. Se é verdade que conquistamos boa fatia de liberdade nos nossos direitos civis, quanta liberdade ainda nos falta conceder no setor privado, aquele em que nossas fantasias trabalham 24 horas. Liberdade de abandonar barcos seguros em troca de caiaques sem rumo, liberdade para dizer "eu te amo" sem que isso estabeleça um compromisso, liberdade para pedir aos filhos que cresçam sozinhos um pouco, enquanto vamos até ali na esquina realizar um sonho e já voltamos.

Liberdade para independentizar-se de salário e de promoções, liberdade para tomar atitudes erradas, liberdade para ir e vir sem magoar quem se prende a nós. Liberdade para chutar o balde, liberdade para recolher o balde e voltar atrás. Somos livres para fazer o que quisermos, desde que o que queiramos não esteja em desacordo com o Código Penal, com a Igreja e com a nossa infância querida, que não pode ser renegada. Você é livre para ser uma pessoa como manda o figurino. Você é livre no metro quadrado que estabelece sua fronteira com o vizinho. Você é livre numa reserva de mercado. Não se fala mais nisso, liberdade. Você é livre e não sabe.

Não sei.

Maio de 2001

Chutando cachorro morto

Vazou muito timidamente para a imprensa tradicional uma notícia que está correndo solta pela internet: a ex-ministra Zélia Cardoso de Mello se cadastrou num site de relacionamentos dos Estados Unidos, em busca de companhia masculina. Eu entrei no site e conferi, é ela mesma. Tem foto e um texto em que ela conta sua formação profissional, seus hobbies e as qualidades que busca no futuro parceiro. Não tem nenhuma baixaria ou apelo erótico. É igualzinho ao que milhares de homens e mulheres fazem no mundo inteiro.

Eu recebi dezenas de e-mails de amigos e de desconhecidos divulgando o site num tom zombeteiro, com comentários do tipo "olha só o mico que a solidão está fazendo essa mulher pagar...". Ela e toda a torcida do Flamengo e do Chicago Bulls, diga-se. Se está difícil arranjar um amor aqui neste país tropical, onde todos são afetuosos e a sedução rola solta, imagina numa cidade como Nova York, onde ninguém olha para a cara de ninguém na rua. Bem faz a Zélia de ir à luta com os recursos da tecnologia virtual. É capaz de encontrar coisa bem melhor do que já teve.

Serei prima-irmã da Zélia? Colega de infância? Estou devendo dinheiro pra ela? Não. Ela é que ficou nos devendo e muito, junto com aquela corja que habitou o Planalto no início dos anos noventa.

Não compraria um carro usado desta senhora. Para mim tanto faz se ela morrer solteira ou se casar com Donald Trump. Talvez ela devesse estar passando uma temporada na cadeia, não se sabe ao certo, nada ficou provado. Mas uma coisa é punição, outra é humilhação. Humilhar é golpe baixo.

Zélia não deve estar fazendo questão de sigilo sobre o assunto, uma vez que está se expondo à rede mundial de computadores, mas espalhar a notícia em tom de deboche não é uma atitude das mais nobres. É sintoma desse nosso lado fofoqueiro, que tanto nos custa refrear. Perdoem o bom-mocismo de minha parte, mas pensem: ela só quer namorar. Atentos temos que ficar se ela quiser se eleger.

Maio de 2001

Procura-se orgasmo

A liberação sexual concedeu às mulheres o direito de reivindicar por aqueles dez segundos de plenitude máxima, em que elas esquecem que têm estrias e que a taxa do condomínio vai aumentar: orgaaaaaaaaasmo!! Quem não tem, quer o seu. É um direito legítimo e intransferível. A revista *Veja* deu até matéria de capa na semana passada: diz que a ciência está ajudando as mulheres a terem mais prazer sexual. Parece um progresso esta discussão, mas talvez não seja. Uma tia minha, habitante da casa dos setenta, resume o que penso: "Esta história de não ter orgasmo é coisa da modernidade. No meu tempo, todo mundo tinha orgasmo, ninguém perdia tempo com esta conversa".

Reconheço que muitas mulheres possuem distúrbios sexuais, mas dizer que são mais de 50% me parece uma percentagem exagerada. Dá a entender que antes de termos liberdade para discutir o assunto, as mulheres eram todas umas reprimidas e carentes de ooohhhhh e aaaahhhh. Não podemos deixar que mantenham de nós esta falsa impressão. Orgasmo, pra existir, não depende de globalização, imprensa livre, pílula anticoncepcional ou Camille Paglia. Se anda escasso, o problema talvez seja justamente por excesso de informação.

Quantos orgasmos a Luma tem por dia? Aposto que uns oito só na segunda-feira. Sempre vestida de vermelho e com fendas generosas nas pernas, ela deve gozar na hora do banho, em cima da mesa do café, antes do almoço, depois do almoço, antes de pegar os guris no colégio, no meio do jantar e antes do licor. Sem falar na hora em que vai pra cama. Ela e a Narcisa, a Alicinha, a Carla, a Sheila, a Monique e a Danielle: estas afortunadas não fazem outra coisa a não ser ter orgasmos! Ai de nós, que não dispomos de silicone nem tempo.

Se hoje falamos tanto nesta tal busca do êxtase, é porque o conceito de prazer está desproporcionalmente valorizado. Tudo a nossa volta é tão erótico, tão sexy, tão flamejante, que acabamos por nos inibir e nem reparar que aqueles dez segundos de aaahhhh e ooohhhh valem alguma coisa. Orgasmo não é aquilo que nos condicionam a pensar a literatura e o cinema: uma lava incandescente que percorre nosso corpo desde atrás da nuca até a unha do pé, nos tirando o senso de realidade, transcendendo nossa sensibilidade aos píncaros do Éden, provocando tremores em cada centímetro quadrado de pele e nos fazendo urrar feito leoas atingidas por flechas magnetizadas e pontiagudas. Milhões de mulheres que nunca sentiram esse cataclismo pensam que não têm orgasmo, e vai ver elas têm orgasmo até se ensaboando no chuveiro, apenas não o estão identificando. Orgasmo é uma coisa simples e natural, desde que se esteja com a cabeça livre de expectativas mirabolantes. Nossas antepassadas devem ter tido com mais frequência do que as mulheres descoladas e tensas de hoje, simplesmente porque naquela época era assunto privativo do corpo, e não da cabeça, que inventou de racionalizar demasiadamente sobre isso. Relaxemos, meninas, que ele vem.

Junho de 2001

Simplicidade

É difícil ser simples. Frase surrada, mas perfeita. Diz o que tem que dizer. Comunica. Vai ao ponto.

Somos perdulários nas atitudes e nas descrições. Gastamos saliva à toa, exageramos na dose, perdemos um tempo danado dourando a pílula, sem reparar que poderíamos fazer tudo o que fazemos de maneira mais rápida e funcional.

Para isso, é preciso ter noções de economia. Porque simplicidade é reduzir excessos. É feijão com arroz, preto no branco. Nada de purpurina e orquestra, recheios e encenações. Não precisamos de muita produção para viver. Basta saber dizer sim e não, e dissecar o que for mais complicado. Parece complicado? Mas é tão simples...

Conversando outro dia com alunos de um curso pré-vestibular, me perguntaram como escrever a redação, prova das mais temidas para os pretendentes a uma vaga na universidade. Simples: sem enrolar. Dizer o que passa pela cabeça como se estivesse conversando com o melhor amigo numa mesa de bar, porém zelando pelo bom uso do xis, do zê e da cedilha. Não abusando de adjetivos: "Este grande Brasil dilacerado passa por um terrível momento catastrófico e o povo humilde e amargurado sofre inenarráveis mazelas brutais". Não misturando os assuntos: "Se tivéssemos menos carros nas ruas poderíamos diminuir a poluição e ouviríamos melhor o silêncio que é sagrado principalmente depois da hora do almoço, quando tiramos aquela soneca porque sofremos de insônia, um dos grandes males da humanidade". Concentre-se e resuma-se. Escreva um grande rascunho e, depois, strip-tease nele: deixe que fique só o necessário para seduzir o leitor.

Ser simples é facilitar a vida dos outros e a própria. Vale para se vestir, para declarar amor, para pedir informação. "Moça, eu saí de casa atrasado e esqueci de olhar o mapa e agora preciso encontrar a rua Simões Pires pois é lá que eu tenho aula de piano às quatro horas mas acho que por essa parada não passa o ônibus da linha 31, não é?" Zzzzzzzzz, tarde demais, a moça pegou no sono.

Concisão é uma questão de hábito e autoconfiança. As pessoas exageram porque acham que não estão sendo notadas. Usam colar, pulseira, brinco, piercing, bracelete e ainda fazem uma tatuagem desde o pescoço até o umbigo: impossível enxergar alguém por trás de tanto adereço. Simplicidade é quase nudez, é quase silêncio, é quando chegamos bem próximo da verdade. Simplicidade é a busca do absoluto. É escapar de armadilhas e descongestionar o pensamento. O trajeto mais curto para a felicidade.

Junho de 2001

O homem de roupão

O homem é um arraso. Alto, bonito, meio enigmático. Conversa de modo pausado e olhando nos olhos, e que olhos, Santa Luzia. Não faz cinco minutos que você conheceu a peça e já está pensando na simpatia que vai fazer em casa para que este executivo abençoado e solteiro entre na sua. Talvez aquela que manda juntar três pétalas de rosa vermelha, três pelos do peito dele, uma teia de aranha, quatro gotas de curaçau blue e uma meleca do nariz do seu ex-namorado e colocar tudo dentro de um copo que deve ser depositado na janela da cozinha numa noite de lua cheia. Um grau de dificuldade razoável para conquistar uma joia de tamanho quilate. Mas parece que não vai ser preciso. Escute: ele está convidando você para jantar.

No restaurante, foi educado, divertido e não permitiu que você rachasse a conta com ele. Abriu a porta do carro para você entrar. É agora. Você vai ou não vai conhecer o apartamento do executivo abençoado e solteiro? Você já está lá.

Tudo muito bonito. Muito bem decorado. Mas estranhamente asséptico para um homem que mora sozinho. As plantas estão todas vivas e serelepes. Os vidros, imaculados. Tapetes penteados todos para o mesmo lado. E o quarto? Livros com autores em ordem alfabética. Nenhum sapato embaixo da cama. Nem sinal de ácaros. Você aproveita que ele não está por perto e abre o guarda-roupa. Tudo separado por cores, em degradê. É o Imeldo Marcos dos sapatos, pares em profusão, porém nenhum tênis. Ternos Ermenegildo Zegna e as gravatas guardadas em gavetas etiquetadas com nomes de países: Inglaterra, França, Japão. Só de gravatas italianas deu pra contar cinco gavetas. Você fecha tudo com cuidado e se pergunta: onde esse homem se enfiou?

No banheiro. Tomando um longo banho. Pelo visto, não está com pressa. 45 minutos depois, ele reaparece de roupão branco com o brasão da família bordado. Cuidadosamente penteado. Hidratado. Perfumado. Como você vai fazer sexo com esse cara sem desmanchá-lo?

Na hora do bem-bom, tudo bem mais ou menos. Primeiro, um papai e mamãe. Depois, papai e mamãe. E por último, papai e mamãe. Você se sente casada com ele há 46 anos. De repente, uma esperança: ele chama você para a banheira. É agora que vai começar a selvageria. Ele joga você dentro d'água. Alcança três toalhas. E bate a porta, rumo a outro banheiro, pois prefere uma chuveirada.

Quando você volta para o quarto, os lençóis já foram trocados, a janela foi aberta para arejar o ambiente e toca *As quatro estações*, de Vivaldi. Ele, dentes escovados, hálito puro, convida você a se retirar. Você sai e ainda dá tempo de vê-lo limpando suas impressões digitais do trinco da porta. Você que já havia enfrentado todo o tipo de depravado, jamais imaginou que um dia seria vítima de um maníaco por si mesmo.

Junho de 2001

Sentir-se amado

O cara diz que te ama, então tá. Ele te ama. Tua mulher diz que te ama, então assunto encerrado.

Você sabe que é amado porque lhe disseram isso, as três palavrinhas mágicas. Mas *saber-se* amado é uma coisa, *sentir-se* amado é outra, uma diferença de milhas, um espaço enorme para a angústia instalar-se.

A demonstração de amor requer mais do que beijos, sexo e verbalização, apesar de não sonharmos com outra coisa: se o cara beija, transa e diz que me ama, tenha a santa paciência, vou querer que ele faça pacto de sangue também?

Pactos. Acho que é isso. Não de sangue nem de nada que se possa ver e tocar. É um pacto silencioso que tem a força de manter as coisas enraizadas, um pacto de eternidade, mesmo que o destino um dia venha a dividir o caminho dos dois.

Sentir-se amado é sentir que a pessoa tem interesse real na sua vida, que zela pela sua felicidade, que se preocupa quando as coisas não estão dando certo, que sugere caminhos para melhorar, que se coloca a postos para ouvir suas dúvidas e que dá uma sacudida em você, caso você esteja delirando. "Não seja tão severa consigo mesma, relaxe um pouco. Vou te trazer um cálice de vinho."

Sentir-se amado é ver que ela lembra de coisas que você contou dois anos atrás, é vê-la tentar reconciliar você com seu pai, é ver como ela fica triste quando você está triste e como sorri com delicadeza quando diz que você está fazendo uma tempestade em copo d'água. "Lembra que quando eu passei por isso você disse que eu estava dramatizando? Então, chegou sua vez de simplificar as coisas. Vem aqui, tira este sapato."

Sentem-se amados aqueles que perdoam um ao outro e que não transformam a mágoa em munição na hora da discussão. Sente-se amado aquele que se sente aceito, que se sente bem-vindo, que se sente inteiro. Sente-se amado aquele que tem sua solidão respeitada, aquele que sabe que não existe assunto proibido, que tudo pode ser dito e compreendido. Sente-se amado quem se sente seguro para ser exatamente como é, sem inventar um personagem para a relação, pois personagem nenhum se sustenta muito tempo.

Sente-se amado quem não ofega, mas suspira; quem não levanta a voz, mas fala; quem não concorda, mas escuta.

Agora sente-se e escute: eu te amo não diz tudo.

Junho de 2001

Futebolzinho

Vocês se veem todos os dias. Conversam sobre todos os assuntos. Almoçam ou jantam juntos diariamente. Transam com alguma assiduidade. Viajam juntos. Vão ao cinema juntos. Dormem juntos. Passam todos os Natais juntos. As férias juntos. Pelo amor de Deus, como é que você tem coragem de reclamar do futebolzinho dele?

Todo mundo precisa respirar dentro de um casamento. Você, que vive se queixando do futebolzinho dos sábados, ou do futebolzinho das quintas, ou seja lá que dia o seu marido jogue um futebolzinho com os amigos, deveria se ajoelhar e agradecer por ele ter um hobby e não compartilhá-lo com você. Ele precisa ver outras pessoas, se desintoxicar do ambiente familiar, suar a camisa, perder a barriguinha, tomar um chopinho. Você não pode privá-lo de uma coisa tão inocente.

Você já pensou em quantas mulheres dariam tudo para que o marido delas jogasse um futebolzinho de vez em quando? Tem marido que fica em casa o dia inteiro, tem marido aposentado, tem marido que só faz dormir, tem marido que não sai da frente da televisão, tem marido que não tem amigo: bendita seja você que tem um marido que joga um futebolzinho.

Tem marido que vai para Brasília todas as semanas, marido cujo hobby é fazer pega em Tarumã, marido que desaparece de casa e só volta três dias depois, marido que cheira, fuma e bebe todos os dias, marido que aposta até a sogra nos cavalos, marido que é violento, marido que é retardado: louvado seja o futebolzinho.

O futebolzinho permite que você enxergue as pernas do seu marido no inverno. O futebolzinho faz com que ele externe sua virilidade, sua fúria, sua raiva contra aquele juiz filho da mãe. O futebolzinho resgata o homem primitivo que ele tem dentro dele. O futebolzinho ajuda-o a descarregar a tensão, dá a ele uns hematomas para se orgulhar, o futebolzinho é sua religião, e você quer acabar com isso porque ele não tem prestado atenção em você? Vá procurar suas amigas e tomar um vinhozinho, bater um papinho, pegar um cineminha. Vá descolar seu próprio futebolzinho.

Eu achei que estava fora de moda o grude nas relações, que isso era coisa do passado, mas recebi um e-mail comovente de um homem apaixonado pela esposa e que tenta, desesperadamente, preservar seu futebolzinho, que ela quer a todo custo exterminar. Fiquem espertas, garotas. O futebolzinho, o vinhozinho e tudo o mais que homens e mulheres fazem separados um do outro é o que nos mantém juntos.

Julho de 2001

Um deus que sorri

Eu acredito em Deus. Mas não sei se o Deus em que eu acredito é o mesmo Deus em que acredita o balconista, a professora, o porteiro. O Deus em que acredito não foi globalizado.

O Deus com quem converso não é uma pessoa, não é pai de ninguém. É uma ideia, uma energia, uma eminência. Não tem rosto, portanto não tem barba. Não caminha, portanto não carrega um cajado. Não está cansado, portanto não tem trono.

O Deus que me acompanha não é bíblico. Jamais se deixaria resumir por dez mandamentos, algumas parábolas e um pensamento que não se renova. O meu Deus é tão superior quanto o Deus dos outros, mas sua superioridade está na compreensão das diferenças, na aceitação das fraquezas e no estímulo à felicidade.

O Deus em que acredito me ensina a guerrear conforme as armas que tenho e detecta em mim a honestidade dos atos. Não distribui culpas a granel: as minhas são umas, as do vizinho são outras, e nossa penitência é a reflexão. Ave-maria, pai-nosso, isso qualquer um decora sem saber o que está dizendo. Para o Deus em que acredito, só vale o que se está sentindo.

O Deus em que acredito não condena o prazer. Se ele não tem controle sobre enchentes, guerrilhas e violência, se não tem controle sobre traficantes, corruptos e vigaristas, se não tem controle sobre a miséria, o câncer e as mágoas, então que Deus seria ele se ainda por cima condenasse o que nos resta: o lúdico, o sensorial, a libido que nasce com toda criança e se desenvolve livre, se assim o permitirem?

O Deus em que acredito não é tão bonzinho: me castiga e me deixa uns tempos sozinha. Não me abandona, mas me exige mais do que uma visita à igreja, uma flexão de joelhos e uma doação aos pobres: cobra caro pelos meus erros e não aceita promessas performáticas, como carregar uma cruz gigante nos ombros. A cruz pesa onde tem que pesar: dentro. É onde tudo acontece e tudo se resolve.

Este é o Deus que me acompanha. Um Deus simples. Deus que é Deus não precisa ser difícil e distante, sabe-tudo e vê-tudo. Meu Deus é discreto e otimista. Não se esconde, ao contrário, aparece principalmente nas horas boas para incentivar, para me fazer sentir o quanto vale um pequeno momento grandioso: um abraço numa amiga, uma música na hora certa, um silêncio. É onipresente, mas não onipotente. Meu Deus é humilde. Não posso imaginar um Deus repressor e um Deus que não sorri. Quem não te sorri não é cúmplice.

Julho de 2001

Amor e perseguição

"As pessoas ficam procurando o amor como solução para todos os seus problemas quando, na realidade, o amor é a recompensa por você ter resolvido os seus problemas." Norman Mailer. Copiem. Decorem. Aprendam.

Temos a mania de achar que amor é algo que se busca. Buscamos o amor nos bares, buscamos o amor na internet, buscamos o amor na parada de ônibus. Como num jogo de esconde-esconde, procuramos pelo amor que está oculto dentro das boates, nas salas de aula, nas plateias dos teatros. Ele certamente está por ali, você quase pode sentir o seu cheiro, precisa apenas descobri-lo e agarrá-lo o mais rápido possível, pois só o amor constrói, só o amor salva, só o amor traz felicidade.

Amor não é medicamento. Se você está deprimido, histérico ou ansioso demais, o amor não se aproximará, e, caso o faça, vai frustrar sua expectativa, porque o amor quer ser recebido com saúde e leveza, ele não suporta a ideia de ser ingerido de quatro em quatro horas, como um antibiótico para combater as bactérias da solidão e da falta de autoestima. Você já ouviu muitas vezes alguém dizer: "Quando eu menos esperava, quando eu havia desistido de procurar, o amor apareceu". Claro, o amor não é bobo, quer ser bem tratado, por isso escolhe as pessoas que, antes de tudo, tratam bem de si mesmas.

"As pessoas ficam procurando o amor como solução para todos os seus problemas quando, na realidade, o amor é a recompensa por você ter resolvido os seus problemas." Norman Mailer. Divulguem. Repitam. Convençam-se.

O amor, ao contrário do que se pensa, não tem que vir antes de tudo: antes de estabilizar a carreira profissional, antes de viajar pelo mundo, de curtir a vida. Ele não é uma garantia de que, a partir do seu surgimento, tudo o mais dará certo. Queremos o amor como pré-requisito para o sucesso nos outros setores, quando, na verdade, o amor espera primeiro você ser feliz para só então surgir diante de você sem máscara e sem fantasia. É esta a condição. É pegar ou largar.

Para quem acha que isso é chantagem, arrisco sair em defesa do amor: ser feliz é uma exigência razoável e não é tarefa tão complicada. Felizes são aqueles que aprendem a administrar seus conflitos, que aceitam suas oscilações de humor, que dão o melhor de si e não se autoflagelam por causa dos erros que cometem. Felicidade é serenidade. Não tem nada a ver com piscinas, carros e muito menos com príncipes encantados. O amor é o prêmio para quem relaxa.

Julho de 2001

Por baixo dos panos

O underwear feminino segue sendo uma das peças-fetiche do sexo. Volta e meia as revistas fazem enquetes com os homens para saber qual o tipo de lingerie que os faz subir pelas paredes: vermelha, dourada, com renda, sem renda, tigrada, zebrada, transparente. As mulheres, por elas, comprariam apenas as branquinhas de algodão, bem confortáveis, e não se falaria mais nisso, mas nos exigem uma postura mais agressiva: temos que dar nosso recado através da roupa de baixo. Tudo bem, não custa nada realizar as fantasias alheias e as nossas próprias, faz parte dos jogos do amor. Mal sabem eles que nosso problema com calcinhas e sutiãs é bem outro.

Ela estava no médico. Uma quinta-feira à tarde. Consulta no dermatologista. Uma manchinha branca entre os dedos a estava angustiando, e resolveu consultar um especialista para descobrir se era uma micose ou coisa mais grave. Conversaram um pouco. Ela mostrou a mão para o doutor. Ele perguntou se haviam outras manchas como aquela em outras partes do corpo. Ela disse: "Não que eu tenha percebido". Danou-se. "Por favor, passe para aquela sala e tire a roupa que vou examiná-la."

Toda mulher já passou por esta situação. Esquecer que tinha médico agendado, esquecer da possibilidade de ter que tirar a roupa, esquecer de colocar uma calcinha decente. Você estará com aquela calcinha puída que comprou quatro anos atrás, numa época em que conseguia distinguir se ela era amarela, branca ou bege. Ela mesma, sua adorada calcinha de estimação, que você só veste quando seu marido está viajando para não haver testemunha desta sua inclinação pela pré-história do pret-à-porter. Mas você esqueceu da droga do médico. Que, além de perebenta, acaba de descobrir que você é uma relaxada.

Como todos sabem, não há nada tão ruim que não possa piorar. Você está novamente no médico, foi lá apenas para que ele observe seu couro cabeludo, pois está perdendo os cachos a cada lavagem. De repente, ele percebe que você está com uma coceira estranha na perna e ordena que você se dispa. Sim, você. Você que tem um encontro marcado com um clone do Rodrigo Santoro logo mais à noite e está vestindo aquela calcinha preta tamanho extra small, sabor morango, com um fecho na frente e a frase *Sou tua, Tigrão* bordada na bunda. O que fazer neste momento? Chame o doutor para um cafezinho e confesse que seu codinome é Kátia Flávia.

Todos os homens merecem ser surpreendidos por nossa lingerie. Mas não nosso médico. Nem mesmo o legista. Ao acordar de manhã, avalie bem o que está usando. Nunca se sabe o que o dia nos reserva.

Julho de 2001

Quantos dólares
vale um Kennedy

Li no jornal que a família Kennedy vai indenizar os pais de Carolyn e Lauren Bessette, respectivamente esposa e cunhada de John-John, pelo acidente aéreo que matou os três em julho de 1999. John-John estava pilotando o avião que caiu e sua inexperiência foi considerada uma das causas do acidente, assim como a pouca visibilidade no momento da tragédia. Resumindo: a família das duas irmãs que faleceram vão receber dos Kennedy, que também perderam John-John, 15 milhões de dólares para ressarcir a saudade.

Eu sou mesmo uma ingênua, pois ainda me surpreendo com a lógica de certas transações. Carolyn e John-Jonh eram marido e mulher. Ela não foi forçada a entrar no avião. Conhecia o cara com quem estava casada, sabia de seus méritos e limitações. É bem provável que a culpa tenha sido dele, mas ninguém sobreviveu para testemunhar os minutos finais. Carolyn pode ter apertado um botão inadvertidamente ou o casal pode ter tido uma discussão que deixou o piloto nervoso, quem pode garantir? Mas tudo bem, digamos que a responsabilidade tenha sido exclusivamente da onipotência do único filho de Jackie Kennedy: tem cabimento a família Bessette correr atrás do "prejuízo"? E se

Carolyn fosse casada com um John Smith qualquer e tivessem colidido juntos contra um poste numa estrada norte-americana, a família também entraria com uma ação?

Prezados advogados, desculpem eu estar metendo minha colher onde não devo. Legalmente, a situação é justificada, ainda que eu prefira ser regida por critérios mais abstratos. Levanto esta questão porque nunca é demais refletir sobre como o dinheiro tem sido mais importante que o brio. John-John era genro de Mr. e Mrs. Bessette. Quando estava vivo, aposto todas as minhas fichas em que era um parente muito bem-vindo. Ao morrer, tornou-se um bilhete premiado.

Há sempre alguém no volante, não importa se o homem ou a mulher: é um casal no mesmo barco, no mesmo carro, na mesma aventura. Não é sequestro, mas passeio, viagem. Por uma fatalidade, a aventura termina em morte para ambos. Os que ficam deveriam chorar abraçados, e não apartados pela mesa de um juiz. Ouvi dizer que, antigamente, dignidade valia alguma coisa e havia assuntos que diziam respeito unicamente ao coração, assuntos de família, assuntos que requeriam elegância e bom-senso.

Quá, quá, quá. O bom-senso não apita mais nada, minha filha. E meritíssimo bate o martelo.

Julho de 2001

Qualidade de vida

Os anos noventa insistiram numa ideia que virou sonho de consumo de todo mundo: qualidade de vida. Até hoje dá vontade de entrar numa loja e perguntar: tem qualidade de vida? Provavelmente nos responderiam que está em falta, muita procura, mas pode deixar encomendado.

Qualidade de vida, se pudesse ser filmada, teria a cara de um comercial de margarina. Família bela e saudável, uma casa aconchegante, um dia de sol, um café da manhã farto, papai empregado e filhos na escola. Qualidade de vida é um modelo de comportamento, qualidade de vida é um carro com um bagageiro enorme.

E a qualidade das nossas emoções? Compra-se, também. As mais fortes são as que têm mais saída. Tudo pelo preço de um ingresso de cinema.

As pessoas têm estado cansadas demais para produzir seus próprios sentimentos. Assustadas demais para olhar para dentro. Confusas demais para reconhecer seus medos e desejos. Passivas demais para transformar tudo o que sentem em ativo. Procuram artigos prontos em vez de fabricá-los.

Qualidade não vem com facilidade, não conquistamos com um estalar de dedos. Qualidade, esta palavra difícil de conceituar, só se consegue fazendo as coisas com amor, e eu mesma não me suporto dizendo uma coisa tão piegas, mas é que a pieguice tem lá seu cabimento e às vezes exige nossa rendição. Não há qualidade sem tratamento, sem olho atento, sem uma bela intenção.

Qualidade é tudo o que a gente ordena sem precisar gritar, é a maneira educada com que nos relacionamos com as pessoas, é o cumprimento de nossas tarefas com responsabilidade, é o compromisso que estabelecemos com a gente mesmo de fazer as coisas da maneira menos estabanada.

Qualidade é a verdade dos fatos, é não teatralizar a vida. É reconhecer-se humilde diante das nossas falhas, tantas. E tentar errar menos.

Qualidade é viver de acordo com nossas possibilidades, administrar a vida com a humanidade que dispomos, chorar de ódio por sermos vulneráveis, mas pensar que melhor isso do que não termos sensibilidade alguma.

Qualidade é amor que se sustenta, é amizade que não é um blefe, é confiança que não é traída, é demonstrar o que se sente, apertar a mão com firmeza, dizer não e dizer sim com a mesma honestidade, é a inocência de uma fé generalizada e crença na própria natureza.

Parece uma oração, eu que sou quase agnóstica. Mas é isso. Qualidade é tudo o que não se desmancha facilmente.

Julho de 2001

Para sempre, até quando?

O filme *Pão e tulipas* conta a história de uma dona de casa que viaja de excursão com a família, mas é esquecida pelo ônibus num restaurante de beira de estrada. Então ela aproveita a oportunidade para "tirar férias" da vida que levava: pega uma carona, vai pra Veneza e começa a excursionar sozinha por uma nova vida.

Ao sair do cinema, me lembrei de uma passagem do livro *Ela é carioca*, de Ruy Castro. Lá pelas tantas ele conta que determinada mulher havia viajado muito e frequentado todas as festas, até que casou, teve três filhos e por pouco não se aquietou. "Se ela se distraísse, acabaria sendo feliz para sempre."

Ser feliz para sempre é o final que todos nós sonhamos para nossa história pessoal. A personagem de *Pão e tulipas* estava sendo feliz pra sempre, até que descobriu que a felicidade muda de significado várias vezes durante o percurso de uma vida. Ninguém sabe direito o que é felicidade, mas, definitivamente, não é acomodação. Acomodar-se é o mesmo que fazer uma longa viagem no piloto automático. Muito seguro, mas que aborrecimento. É preciso um pouquinho de turbulência para a gente acordar e sentir alguma coisa, nem que seja medo.

Tem muita gente que se distrai e é feliz pra sempre, sem conhecer as delícias de ser feliz por uns meses, depois infeliz por uns dias, felicíssimo por uns instantes, em outros instantes achar que ficou maluco, então ser feliz de novo em fevereiro e março, e em abril questionar tudo o que se fez, aí em agosto ser feliz porque uma ousadia deu certo, e infeliz porque durou pouco, e assim sentir-se realmente vivo porque cada dia passa a ser um único dia, e não mais um dia.

Eu não gosto de montanha-russa, o brinquedo, mas gosto de montanha-russa, a vida. Isso porque creio possuir um certo grau de responsabilidade que me permite saber até que altura posso ir e que tipo de tombo posso levar sem me machucar demasiadamente: alto demais não vou, mas ficar no chão o tempo inteiro não fico.

Viver não é seguro. Viver não é fácil. E não pode ser monótono. Mesmo fazendo escolhas aparentemente definitivas, ainda assim podemos excursionar por dentro de nós mesmos e descobrir lugares desabitados onde nunca colocamos os pés, nem mesmo em imaginação. E estando lá, rever nossas escolhas e recalcular a duração de "pra sempre". Muitas vezes o "pra sempre" não dura tanto quanto duram nossa teimosia e receio de mudar.

Agosto de 2001

Qualquer Caetano

Caetano Veloso é a melhor coisa da MPB desde *Alegria, alegria*, e lá se vão mais de trinta anos desde então. Já o vi no palco uma meia dúzia de vezes e sempre tenho a mesma sensação ao sair de seus shows: nada é mais novo que ele. Pode polemizar e dar palpite sobre tudo, que mal há? *Noites do Norte*, espetáculo que passou por aqui no último final de semana, não deixa dúvida: é o cara.

Mesmo com sua inteligência e erudição, Caetano mantém uma simplicidade que às vezes passa por esnobismo, mas é apenas elegância. Com quase sessenta anos de idade, rebola e pula, dança e requebra, é estiloso, inventivo e gracioso. Caetano é rock'n'roll e neguinho, é menina e menino, é do norte e do sul, da América e do mundo. Criticá-lo é a maior prova de que a pluralidade irrita muita gente. Seus defeitos, que ele há de ter, são para consumo próprio, não chegam até nós, plateia, que recebemos dele fina estampa e repertório. Reverenciá-lo é chover no molhado, mas segue urgente, pois o tempo passa rápido e não vejo substitutos à vista.

Caetano é político, social, humanista, hedonista, romântico e afinado. E bonito, ainda por cima. Duas horas de Caetano e a gente tem o Haiti, o Havaí e o aqui dentro, lugar onde cabem todos os desejos e incertezas. Caetano é tupi, guarani, inglês e português. Baiano e americano, guitarra e candomblé.

O que mais me atrai numa pessoa, qualquer pessoa, é sua capacidade de fugir dos estereótipos, ser dez em uma, revolucionária e católica, feia e sexy, alienada e esperta, surfista e filósofa. Pessoas coerentes e previsíveis provocam uma admiração relativa e muito sono: gosto das que nos surpreendem e deslumbram, e quanto mais diferentes de nós, melhor, e melhor ainda se forem diferentes delas mesmas. No final das contas, só a estranheza é que nos encanta, a multiplicidade, o mundo todo que cabe numa única vida.

Caetano é um planeta. Terra, água, fogo e ar. Não se trata de tietagem ou subordinação: é justiça. Não é um homem comercial, mas é popular, não é um homem fácil, mas tampouco é complicado. É um homem que rima, que canta o lado inevitável do amor, que transforma latim em pó e que nos provoca com "um tapinha não dói" só pra ver se a gente ainda cai nesta cilada, e a gente cai. Caetano pode. Seu brilho e energia vêm de gerador próprio.

No final do show, as pessoas que estavam na primeira fila estenderam o braço para cumprimentá-lo. Ninguém o agarrou, o reteve, o constrangeu, ninguém quis um pedaço da sua camisa: queriam apenas apertos de mão. Esta crônica é mais um aperto de mão, sem histerismo, um cumprimento adulto e honesto para um artista que não é qualquer um, nem qualquer caetano.

Agosto de 2001

Eu chego lá

Chego lá onde? É o que eu sempre me pergunto. Lá é para a esquerda, é para a direita, lá é longe? Lá faz frio? Lá tem muita gente?

Não, lá é um lugar quase deserto. Aproximando-se pela estrada, que é estreita, mal-iluminada e cheia de buracos, você avista a placa "Bem-vindo a Lá". Chegando lá, você descobre que não era nada do que você imaginava, que as fotos que o agente de viagem lhe deu foram retocadas e que há pouca coisa para se fazer à noite.

Você sonhou muito em chegar lá. Suas primeiras recordações da infância são da voz do seu pai dizendo "este garoto ainda vai chegar lá". Você estudou para isso, você trabalhou feito um condenado, você nunca deu dois passos na vida sem que o objetivo fosse chegar lá. Aí você chega e descobre que lá é uma abstração.

Lá nunca é aqui. Você pensa que chegou lá e ainda está aqui. Você bem que tenta reverter a situação, iludindo-se em relação ao ponto de chegada: "Pessoal, estou orgulhoso por ter chegado até aqui". As pessoas olham pra você com uma expressão desconfiada no rosto. Chegar até aqui? Mas aqui nós também estamos, grande coisa. Quero ver você chegar lá.

Lá pode ser uma casa num condomínio fechado. Lá pode ser um cargo de confiança. Lá pode ser dois filhos saudáveis. Lá é o seu desejo de consumo ou sua realização pessoal. Um lugar que todo mundo quer alcançar. Uns chegam lá. Mas, chegando, descobrem que não é lá que gostariam de se instalar. Lá é a morte dos seus sonhos.

Você chegou lá como prefeito e descobre que quer ser governador. Você chegou lá solteiro e descobre que falta uma esposa. Você chegou lá casado e descobre que quer recuperar sua liberdade. Você chegou lá cheio de dinheiro e descobre que não tem tempo para aproveitá-lo. Você chegou lá no seu peso ideal, e agora? Agora é preciso ir até lá onde você vai aprender a ser feliz sem refrigerante.

Chegando lá, descobre-se que lá sempre fica em outro lugar: adiante.

Agosto de 2001

Dois ou três beijinhos

Quando eu era pouco mais que uma adolescente, viajei sozinha para a Inglaterra e aluguei um quarto numa casa de família. Chegando lá, completamente desamparada, fui apresentada à matriarca, que chamava-se Daphne. Assim que nos vimos, me atirei em seus braços como uma refugiada em busca de adoção, mas tudo o que recebi foi um shake hands, que nada mais é que um bom aperto de mãos. Ela nunca me beijou, me abraçou, me chamou de Martinha. Ó, céus, eu não havia agradado, só podia ser isso.

Não era isso. A recepção tinha sido até bem calorosa para os padrões ingleses. Beijo, para os britânicos, só depois de uma intimidade secular, o que não era o nosso caso.

Muitos anos depois, fui viver em Santiago do Chile. Cada vez que me apresentavam para um chileno ou chilena, eu, toda sorridente, tascava nossos gloriosos dois beijinhos. Mas lá eles só dão um. Um beijo só, na face. Eu logo percebi que esse era um costume do país, mas hábito é fogo. Quando eu ia cumprimentar alguém, automaticamente beijava os dois lados do rosto. Morria de vergonha pelo constrangimento provocado, pois a pessoa se afastava logo após o primeiro beijo, deixando-me ali pendurada. Porém, numa concessão educada, voltava para receber o segundo beijo, nitidamente malvindo.

Tudo é uma questão de adaptação, certo? Pois é.

Só que não me adapto aos três beijinhos. No meu restrito universo de familiares e amigos, ninguém dá três beijinhos, apenas dois, mas, nas excursões que faço por outros mundos, gente à beça dá três beijos. Como agir, Celia Ribeiro?

Eu retribuo. Contrariada, mas retribuo. Não tenho coragem de deixar a pessoa ali com a face no ar, à espera do meu derradeiro smack. Faço como os chilenos faziam comigo, queridos amigos que se adequavam ao meu costume estrangeiro para que eu me sentisse bem-vinda ao planeta deles. Eu concedo também e recebo os três beijinhos destes seres de um planeta diferente do meu.

Três para casar. Que motivo mais tolo. Mas tudo bem. Não se discute um costume. Não estou condenando o trio, apenas estou assumindo meu descontentamento com o exagero. Fazer o quê? Que venham todos os beijinhos. O mundo está acabando mesmo, que importa quantos beijos se dá? Menos mal que ainda sobra algum carinho nesta vida.

Setembro 2001

Leasing de amor

O mundo acompanha os avanços da ciência e da tecnologia e eu me pergunto: só o casamento não evolui?

Sendo o matrimônio um sacramento, desconsidera-se qualquer ajuste, e assim continuamos a ver homens e mulheres presos, literalmente, num acordo que nem sempre corresponde às expectativas do casal. Existe o divórcio, que é usado por quem quer encerrar um contrato e iniciar outro, mas ele ainda carrega o estigma do fracasso. Divórcio é sinônimo de falência da relação, e como tal gera frustrações, pois ninguém casa pensando em se separar. Como leio muito sobre o assunto, me deparei outro dia com uma teoria que defende a ideia de a gente casar já conscientes do fim próximo. A ideia é riscar o "para sempre" do dicionário do amor.

No fundo, a gente sabe que o "pra sempre" fica longe demais da realidade, mas ainda nos apegamos a esta ilusão de infinitude. Somos românticos o suficiente para achar que um grande amor não se esgota, e cultivamos esta crença porque, do contrário, passaríamos por cínicos: te amo hoje, amanhã não sei.

Já se fala sobre "namoros em leasing". Não se trata de contratos com prazo de validade estipulado no início da relação, mas de uma mudança de mentalidade pra valer, uma nova postura frente aos relacionamentos. Olhe à sua volta: você conhece ao menos uma pessoa que está sofrendo por amor, talvez seja até você próprio. A dor de cotovelo não mata mas é uma epidemia mundial. Tudo isso porque a gente entra nas relações com fé demais e neurônios de menos. A ideia é entrar na relação sabendo onde fica a porta de saída, porque é por lá que a gente vai passar em breve.

Eu não tenho dúvida de que este é um caminho sem volta. A tendência é termos dois ou três casamentos durante uma vida. Os filhos se adaptarão naturalmente a essas novas estruturas familiares. Isso tudo já está sendo vivido, não está aí a revolução: a novidade é estabelecer isso como regra e não mais como exceção. É escrevermos novos contos de fada, com vários finais e vários recomeços. É aceitarmos dentro de nós que um casamento longa-metragem pode ser menos aborrecido se for transformado em dois ou três curtas.

Muitas perguntas ficam no ar. Se não estaremos perdendo o romantismo, se não estaremos sendo egoístas, se é possível evitar as dores da rejeição. Não tenho respostas. Só sei que há um número enorme de pessoas que se sentem traídas porque acreditaram numa ideia de amor que já não se sustenta. A Igreja nos prepara para o fim da vida terrestre, mas não nos prepara para o fim de um amor. Cabe a nós romper com o conceito de amor definitivo e abrir os braços para os amores provisórios.

Setembro 2001

No mesmo barco

O jardineiro trabalha na mansão há anos, podando tudo o que enxerga de verde e com a pele vincada pelo sol. A poucos metros dele, estão a piscina e a dona da piscina, uma bela mulher de olhos fechados deitada sobre a espreguiçadeira e com uma revista abandonada no chão. Ele, pobre e cheio de dívidas. Ela, rica e cheia de dúvidas. Ele, sensível e encantado pela nova vida que planeja. Ela, aborrecida e tentada a conhecer da vida um outro lado.

O psiquiatra escuta o homem de quarenta anos que na sua frente se dissolve em lágrimas. O paciente, envergonhado, expõe toda a sua fragilidade. O psiquiatra chorou também, ontem à noite, de raiva por ter rasgado uma carta. Já o paciente, ontem, estava contente porque sentia-se mais encorajado. O psiquiatra tem dores de gente, o paciente tem dores natas, ambos têm gavetas fechadas.

O leitor lê palavras que lhe preenchem o peito. O escritor tenta buscá-las e distribuí-las na página a seu jeito. O leitor renasce ao ler, o escritor renasce ao ler também, ambos fugindo da sua solidão através do verbo alheio, um escrevendo pra fora e publicando, outro se escrevendo por dentro no seu quarto, dois artistas, um e outro aproximados.

O pai sabe tudo, pensa o filho. Este filho é tudo pra mim, pensa o pai. O filho não viu que o pai foi obrigado a se humilhar para o patrão, o pai não viu a coragem que o filho teve em enfrentar uma dificuldade. Que grande filho, esse que me pede proteção. Que pai humano, esse que parece inatacável.

O remetente manda notícias de casa, diz que está indo bem no trabalho, deixa um parágrafo inacabado, nem todas as notícias são boas. O destinatário, lá do outro lado, recebe a mensagem como quem recebe um abraço, por sua vez teme ficar desempregado, mas tem notícias boas da saúde, já não sente tanto cansaço, e a prova disso, quem diria, a patroa está esperando outro pirralho.

O professor sai do velório da mãe e vai dar aula na universidade, está abatido o mestre, enquanto que seu aluno está tão feliz que parece à beira de um colapso, vai viajar, conseguiu a bolsa, ficará longe de casa pela primeira vez, liberdade, uma temporada sem família. O professor o cumprimenta e lembra, já teve esta alegria, a mãe distante não fazia falta, é da vida aproximações e distância, vivências cedo ou tarde, uns antes, outros depois.

Estamos todos no mesmo barco.

Setembro de 2001

Sobre a autora

Martha Medeiros nasceu em Porto Alegre, em 1961. Trabalhou com publicidade e nas décadas de 80 e 90 firmou-se como um dos mais interessantes nomes da poesia contemporânea brasileira, com *Striptease* (1985), *Meia-noite e um quarto* (1987), *Persona non grata* (1991), *De cara lavada* (1995), *Poesia reunida* (1999) e *Cartas extraviadas e outros poemas* (2001). Em 1994 começou uma coluna semanal no jornal *Zero Hora*; no ano seguinte, seus textos foram reunidos em *Geração bivolt* – o primeiro de vários livros de crônicas. Em 2004, passou a assinar uma coluna também no jornal *O Globo*. Suas outras coletâneas de crônicas são: *Topless* (1997), *Trem-bala* (1999), *Non-stop* (2001), *Montanha-russa* (2003), *Coisas da vida* (2005), *Doidas e santas* (2008), *Feliz por nada* (2011), *Um lugar na janela* (2012) e *A graça da coisa* (2013). É autora também de vários romances, do livro infantil *Esquisita como eu* (2003) e da novela *Noite em claro* (2012).

L&PM POCKET MANGÁ

SHAKESPEARE
HAMLET

SIGMUND FREUD
A INTERPRETAÇÃO DOS SONHOS

FIÓDOR DOSTOIÉVSKI
OS IRMÃOS KARAMÁZOV

JEAN-JACQUES ROUSSEAU
O CONTRATO SOCIAL

MARX & ENGELS
MANIFESTO DO PARTIDO COMUNISTA

FRANZ KAFKA
A METAMORFOSE

SUN TZU
A ARTE DA GUERRA

F. NIETZSCHE
ASSIM FALOU ZARATUSTRA

F. SCOTT FITZGERALD
O GRANDE GATSBY

Mitsuru Adachi — Aventuras de menino

Inio Asano — Solanin 1

Inio Asano — Solanin 2